L'ÉVANGILE DE JUDAS

L'ÉVANGILE DE JUDAS
Du Codex Tchacos

Traduction intégrale et commentaires de
Rodolphe Kasser, Marvin Meyer
et Gregor Wurst
avec la collaboration de François Gaudard

Traduit de l'anglais (États-Unis)
par Daniel Bismuth

FLAMMARION

Les citations de la Bible sont empruntées à la traduction
œcuménique de la Bible (TOB).

Titre original : *The Gospel of Judas*
© 2006 National Geographic Society
© 2006 Flammarion pour la traduction française
ISBN : 2-08-210580-6

SOMMAIRE

INTRODUCTION

Au fil du temps, les sables d'Égypte ont livré d'innombrables trésors et merveilles archéologiques, et voilà qu'ils viennent de révéler une autre trouvaille spectaculaire : l'Évangile de Judas, récemment découvert et publié ici pour la première fois.

Le titre même du texte, l'Évangile de Judas – Judas l'Iscariote – est choquant. Dans les Évangiles du Nouveau Testament (Matthieu, Marc, Luc et Jean) et l'essentiel de la tradition chrétienne, Judas l'Iscariote est décrit comme le fourbe par excellence, celui qui trahit son maître Jésus en le dénonçant aux autorités romaines, et son personnage offre peu de traits permettant de l'associer à l'Évangile, la « bonne nouvelle », de Jésus. Dans l'Évangile de Luc, il est dit que

Satan entre en Judas et le pousse à commettre son acte méprisable, et, dans l'Évangile de Jean, Jésus s'adresse aux douze disciples et déclare que l'un d'eux, Judas, est un diable. D'après le Nouveau Testament, la fin de Judas est aussi ignominieuse que ses actions. Il reçoit des autorités le salaire du sang pour avoir trahi Jésus, et, selon Matthieu, il va se pendre, ou bien, selon les Actes, son ventre se déchire et il connaît une mort épouvantable. L'art chrétien montre souvent Judas en train d'accomplir ce qui lui a valu une réputation d'infamie : trahir Jésus par un baiser – le baiser de Judas.

Cependant, même dans le Nouveau Testament, la figure de Judas l'Iscariote recèle quelque chose de captivant. Le récit de la trahison de Jésus par Judas demeure une histoire puissante et poignante : Jésus est dénoncé par un de ses plus proches amis. Dans les Évangiles canoniques, Judas appartient au premier cercle des disciples de Jésus, et selon l'Évangile de Jean il occupe la fonction de trésorier du groupe, auquel sont confiés les fonds dont pouvaient disposer Jésus et les disciples. En outre, lors du dernier repas, Jésus lui-même n'a-t-il pas enjoint à Judas de faire ce qu'il avait à faire, et de le faire sans tarder ? Tout cela ne participait-il pas du plan divin – que Jésus dût mourir pour les péchés du peuple et se lever d'entre les morts le troisième jour ? Sans Judas et son baiser, la crucifixion et la résurrection auraient-elles même eu lieu ?

L'énigme de Judas l'Iscariote, le disciple de Jésus qui l'a trahi, a été explorée par nombre de ceux qui se sont interrogés sur ce personnage et ses mobiles. La littérature sur Judas est riche et comprend des œuvres bien connues, tant dans le domaine de la recherche académique que dans celui des œuvres contemporaines – *Trois versions de Judas* de Jorge Luis Borges, *Le Maître et Marguerite* de Mikhaïl Boulgakov, *Judas. Ein Jünger des Herrn* de Hans-Josef Klauck, *Judas. Betrayer or Friend of Jesus* de William Klassen, *Judas Iscariot and the Myth of Jewish Evil* de Hyam Maccoby, et *Judas*, la pièce de théâtre de Marcel Pagnol. Dans la comédie musicale rock *Jesus Christ Superstar*, Judas l'Iscariote est près de voler la vedette aux autres protagonistes, et sa présence, alliée à la musique qu'il joue, éveille une certaine sympathie pour la profondeur de sa dévotion à Jésus. Dans sa chanson *With God on Our Side* (« Avec Dieu de notre côté »), Bob Dylan chante à propos de Judas :

You'll have to decide À vous de décider

Whether Judas Iscariot Si Judas l'Iscariote

Had God on his side. Avait Dieu de son côté.

Le Judas l'Iscariote de l'Évangile de Judas est celui qui a trahi Jésus mais il en est en même temps le héros. Il dit à Jésus : « Je sais qui tu es et d'où tu es venu. Tu es issu du royaume immortel de Barbèlô. Et le nom de qui t'a envoyé, je ne suis pas digne de le prononcer. » Dans le monde spirituel de l'Évangile de Judas, confesser que Jésus est issu « du royaume immortel de Barbèlô » revient à confesser qu'il est un être divin, et le fait de déclarer ineffable le nom de qui a envoyé Jésus revient à professer que le vrai Dieu est l'Esprit infini de l'univers. Contrairement aux autres disciples, qui se méprennent sur Jésus et ne peuvent supporter de se tenir face à lui, Judas comprend qui est Jésus, il prend place devant lui et il apprend de lui.

Dans l'Évangile de Judas, Judas finit par trahir Jésus, mais il le fait en connaissance de cause, et pour répondre à la demande sincère de Jésus. Faisant allusion aux autres disciples, Jésus déclare à Judas : « Mais toi, tu les surpasseras tous. Car tu sacrifieras l'homme qui me sert d'enveloppe charnelle. » Jésus est un sauveur non pas en raison de l'enveloppe de chair mortelle qui l'habille, mais parce qu'il est capable de révéler l'âme ou la personne spirituelle qui se trouve à l'intérieur, et sa véritable demeure n'est pas le monde d'en bas, imparfait, mais le monde divin de la lumière et de la vie. La mort n'est pas une tragédie pour le Jésus de l'Évangile de Judas, pas plus qu'elle n'est un mal nécessaire apportant le pardon des péchés. Dans cet évangile, Jésus sourit beaucoup, ce qui ne se produit guère dans ceux du

Nouveau Testament. Il sourit des faiblesses de ses disciples et des absurdités de la vie humaine. La mort, simple issue de cette absurde existence physique, n'a pas à être crainte ou redoutée. Loin de constituer un sujet de tristesse, elle est le moyen par lequel Jésus est libéré de la chair, ce qui va lui permettre de regagner sa demeure céleste ; et en le trahissant, Judas aide son ami à se défaire de son corps et à délivrer son moi intérieur, le moi divin.

Cette perspective diffère à bien des égards de celle des Évangiles canoniques. Durant la période de formation de l'Église chrétienne, de nombreux évangiles ont été composés en plus de ceux du Nouveau Testament (Matthieu, Marc, Luc et Jean). Parmi ces évangiles « autres » qui nous sont parvenus, en totalité ou en partie, se trouvent l'Évangile de Vérité et les Évangiles de Thomas, de Pierre, de Philippe, de Marie, des ébionites, des nazoréens, des Hébreux et des Égyptiens, pour n'en nommer que quelques-uns, qui tous démontrent la riche diversité des perspectives déployées à l'intérieur du christianisme primitif. L'Évangile de Judas fut encore un autre de ces évangiles écrits par les premiers chrétiens à l'époque où ils tentaient de définir qui était Jésus et comment le suivre.

Il peut être classé dans ce qu'on a coutume d'appeler les évangiles apocryphes gnostiques. Composé selon toute probabilité vers le milieu du IIe siècle, très vraisemblablement à partir d'idées et de sources bien antérieures, il représente une forme première de spiritualité qui privilégie la gnose (*gnôsis*) ou « connaissance » – la connaissance mystique, la connaissance de Dieu et de l'unicité essentielle du moi avec Dieu. Cette spiritualité est communément décrite comme « gnostique », mais l'usage de ce terme a été très débattu dans le monde ancien, et il continue de l'être aujourd'hui parmi les spécialistes. Une approche aussi directe de Dieu, comme celle qu'on trouve dans la spiritualité gnostique, ne requiert nul intermédiaire – après tout, Dieu est l'esprit et la lumière au-dedans –, et les témoignages de l'Église primitive et des hérésiologues (chasseurs d'hérésies) lui appartenant indiquent que les prêtres et les évêques ne goûtaient guère ces gnostiques qui pensaient librement. Les écrits des hérésiologues fourmillent d'accusations envers eux : ils nourrissent des pensées malignes, ils s'adonnent à des activités illicites. La polémique n'est jamais une entreprise aimable, et ces documents à visées polémiques ont souvent pour objet de discréditer l'adversaire en éveillant des soupçons sur son mode de pensée et sa façon de vivre. Gnostique, l'Évangile de Judas réplique en accusant les chefs et les membres de l'Église orthodoxe émergente de toutes sortes de comportements scandaleux. Selon lui, ces chrétiens rivaux ne sont que la valetaille du Dieu qui gouverne ce monde d'en bas, et leurs vies reflètent ses menées répugnantes.

Dans l'Évangile de Judas, il est fait mention de Seth, bien connu d'après le récit de la Genèse qui énonce que les êtres humains ayant la connaissance de Dieu appartiennent à la génération de Seth. Cette forme particulière de pensée gnostique est souvent qualifiée de séthienne par les spécialistes. Dans la Genèse, Seth, troisième fils d'Adam et Ève, est né après les violences tragiques ayant éclaté dans la première « famille à problèmes » de l'histoire humaine, violences qui entraînèrent la mort d'Abel et le bannissement de Caïn. Seth, est-il suggéré, représente un nouveau commencement pour l'humanité. Ainsi, appartenir à la génération de Seth revient à faire partie de l'humanité éclairée. Telle est la bonne nouvelle annoncée par des textes séthiens comme l'Évangile de Judas.

Jésus y enseigne à Judas les mystères de l'univers. Comme dans d'autres évangiles gnostiques, Jésus y est essentiellement un enseignant ainsi qu'un révélateur de sagesse et de connaissance, non pas un sauveur qui meurt pour les péchés du monde. Pour les gnostiques, le problème fondamental de la vie humaine n'est pas le péché mais l'ignorance, et la meilleure manière de traiter ce problème n'est pas d'emprunter le chemin de la foi mais celui de la connaissance. Dans cet évangile, Jésus communique à Judas – et aux lecteurs du texte – la connaissance susceptible d'éradiquer l'ignorance et de mener à une conscience de soi et de Dieu.

Ce qui a trait ici à la révélation n'est pas sans mettre au défi l'œil du lecteur actuel. Car la révélation gnostique séthienne offre un point de vue substantiellement différent de notre héritage philosophique, théologique et cosmologique euro-américain. Rome et le christianisme orthodoxe ont fini par gagner la partie, et, comme Borges l'a une fois noté à propos de récits gnostiques dont il traitait : « Si Alexandrie avait triomphé, au lieu de Rome, les histoires extravagantes et embrouillées que j'ai résumées ici seraient cohérentes, majestueuses, et parfaitement ordinaires. » À l'issue des guerres théologiques qui ont fait rage durant les IIᵉ, IIIᵉ et IVᵉ siècles, les gnostiques d'Alexandrie et d'Égypte n'ont pas triomphé, pas plus que l'Évangile de Judas ; aussi les perspectives et idées contenues dans de tels textes paraissent-elles aujourd'hui insolites.

Reste que la révélation communiquée par Jésus à Judas illustre une théologie et une cosmologie qui, de nos jours encore, apparaissent très élaborées. La révélation en elle-même comporte peu d'éléments chrétiens, et, à supposer que les chercheurs actuels aient une appréhension correcte du développement des traditions gnostiques, les racines de ces idées pourraient remonter jusqu'au Iᵉʳ siècle, voire avant, et provenir de cercles philosophiques et gnostiques juifs ouverts aux idées gréco-romaines.

Jésus dit à Judas qu'il y avait au commencement une déité infinie, totalement transcendante, et qu'ensuite, par une série complexe d'émanations et de créations, les cieux se sont emplis de lumière et de gloire divines. Cette déité infinie est tellement exaltée qu'aucun terme fini n'est apte à la décrire ; même le mot *Dieu*, est-il affirmé, est insuffisant et inapproprié. Cependant que le monde d'en bas est le domaine d'un gouverneur inférieur, d'un dieu créateur nommé Nebrô (« Rebelle ») ou Ialdabaôth, qui est maléfique et abject – d'où les problèmes de notre monde, d'où la nécessité de prêter l'oreille aux paroles de sagesse et de prendre conscience de la divine lumière qui les anime. Pour les croyants qui épousent ce point de vue, le plus profond mystère de l'univers est le suivant : l'esprit du divin réside en certains êtres humains. Bien que nous vivions dans un monde défectueux, trop souvent domaine de l'obscurité et de la mort, nous avons le pouvoir de transcender cette obscurité et d'embrasser la vie. Nous sommes meilleurs que ce monde, explique Jésus à Judas, car nous appartenons au monde du divin. Si Jésus est le fils du divin, alors nous tous sommes aussi les enfants du divin. Il suffit que nous vivions de cette connaissance pour être éclairés.

Contrairement aux Évangiles canoniques, cet évangile présente Judas l'Iscariote comme une figure foncièrement positive, un modèle pour tous ceux qui souhaitent devenir disciples de Jésus. C'est probablement pourquoi il se clôt sur l'histoire de la trahison de Judas et non par la crucifixion de Jésus. Point capital, la perspicacité et la loyauté de Judas constituent ici le paradigme de la qualité de disciple. Car, en fin de compte, il accomplit ce que veut Jésus. Néanmoins, dans la tradition biblique, Judas – dont le nom a été rattaché aux mots « juif » et « judaïsme » – a souvent été dépeint comme le méchant juif ayant dénoncé Jésus, provoquant son arrestation et sa mise à mort, de sorte que la figure biblique du traître Judas a nourri les flammes de l'antisémitisme. Judas, tel qu'il apparaît dans le présent évangile, peut contrecarrer cette tendance. Il ne fait rien que Jésus lui-même ne lui demande de faire, il écoute Jésus et lui demeure fidèle. L'Iscariote se révèle être le disciple bien-aimé de Jésus et son ami cher. En outre, les mystères que Jésus lui enseigne sont pétris d'une certaine tradition gnostique juive, et celui qui transmet ces mystères, Jésus, est le maître, le rabbi. L'Évangile chrétien de Judas concorde avec une vision juive – une vision juive alternative, précisons-le – de la pensée gnostique, et la pensée gnostique juive a été baptisée pensée gnostique chrétienne.

Jésus fait ici écho à la conviction platonicienne voulant que chacun ait sa propre étoile, et que le destin des êtres soit en rapport avec elle. Judas, dit Jésus, a lui aussi son étoile. Juste avant que Judas soit transfiguré et se trouve illuminé dans une nuée lumineuse, Jésus lui demande de lever son regard vers les cieux, d'y voir les étoiles et le déploiement de lumière. Il y a beaucoup d'étoiles dans le ciel, mais celle de Judas est particulière. Alors Jésus dit à Judas : « L'étoile qui est en tête de leur cortège est ton étoile. »

♀

Le présent volume offre la première publication de l'Évangile de Judas de l'époque moderne. C'est la première apparition connue de cet évangile remarquable depuis le temps de l'Église primitive, où on le lisait avant qu'il ne soit probablement dissimulé en Égypte. Troisième texte d'un codex (ou livre) de papyrus appelé « Codex Tchacos », l'Évangile de Judas a été découvert en Moyenne-Égypte à la fin des années soixante-dix. C'est dans sa traduction copte qu'il a été préservé et nous est parvenu, mais il a sans aucun doute été originairement composé en grec, probablement vers le milieu du IIe siècle. Cette date est d'autant plus plausible si l'on se réfère à l'un des premiers Pères de l'Église, Irénée de Lyon, qui évoque un Évangile de Judas dans son traité intitulé *Contre les hérésies*, écrit aux alentours de l'an 180. Comme Gregor Wurst le démontre dans son texte (pp. 145-160), l'Évangile de Judas mentionné par Irénée et par d'autres après lui est identique à la version du Codex Tchacos. La première traduction copte de l'Évangile de Judas est sans doute un peu plus ancienne que la copie figurant dans le Codex Tchacos, laquelle remonte probablement au début du IVᵉ siècle, même si la datation par le carbone 14 permet de la situer un peu avant.

La traduction publiée ici est le fruit d'un travail d'équipe accompli par Rodolphe Kasser, Marvin Meyer et Gregor Wurst, avec l'assistance de François Gaudard. Rodolphe Kasser, professeur émérite de la faculté des lettres de l'université de Genève, en Suisse, a publié maints travaux dans le domaine des études coptes, et il a édité plusieurs importants codex grecs et coptes. Marvin Meyer, professeur et chercheur dans le domaine des études bibliques et chrétiennes, titulaire de la chaire Griset à l'université Chapman d'Orange, en Californie, a centré l'essentiel de ses recherches sur les textes de la bibliothèque de Nag Hammadi. Gregor Wurst, professeur d'histoire de l'Église à la faculté de théologie catholique de l'université d'Augsbourg, en Allemagne, effectue des recherches et publie des travaux dans le domaine des études coptes et manichéennes. François Gaudard, égyptologue et assistant de recherche à l'Institut oriental de l'université de Chicago, est expert en copte et en démotique. Dès la fin de l'année 2001, le professeur Kasser a entrepris, en collaboration avec la conservatrice Florence Darbre et (depuis 2004) le professeur Wurst, la tâche herculéenne de rassembler et d'ordonner les fragments de papyrus, grands et petits, d'un codex qui nécessitait une reconstruction d'importance. C'est donc à partir du texte ainsi restitué que nous proposons dans le présent ouvrage une traduction harmonisée, sur laquelle tous les traducteurs sont en accord pour l'essentiel.

Au sein même de la traduction, les pages du Codex sont données entre parenthèses, et, dans les notes et commentaires afférents, les citations du texte sont identifiées et signalées par cette numérotation. Les crochets sont utilisés pour indiquer les lacunes (coupures dans le texte dues à un effacement de l'encre ou à une usure du papyrus), la reconstitution du texte dans les lacunes étant placée à l'intérieur des crochets. Parfois des noms ou des mots partiellement restaurés sont placés pour partie à l'intérieur et pour partie à l'extérieur des crochets, afin d'indiquer la portion du nom ou du mot qui a subsisté dans le manuscrit. Dans les cas où une courte lacune (représentant moins d'une ligne manuscrite) n'a pu être comblée avec certitude, trois points d'ellipse sont placés à l'intérieur des crochets. Pour les lacunes plus longues qu'une ligne manuscrite, le nombre approximatif de lignes manquantes est indiqué entre parenthèses, en italique. Étant donné la nature fragmentaire du manuscrit et les portions de texte qui demeurent inconnues, il existe plusieurs lacunes notables, avec un nombre substantiel de lignes manquantes. Des demi-guillemets (<...>) sont utilisés pour la correction d'une erreur dans le texte. Les variantes de la traduction et certains problèmes inhérents à celle-ci sont précisés dans les notes de bas de page.

Le texte intégral du Codex Tchacos va faire l'objet d'une édition critique, avec des photographies en fac-similé, le texte copte, des traductions anglaise, française, allemande, des notes textuelles, des introductions, des index, et un essai sur les particularités dialectales du copte. Pour autant qu'on peut l'affirmer, le Codex Tchacos est un livre de soixante-six pages comprenant quatre traités :

- une version de la Lettre de Pierre à Philippe (pp. 1-9) qu'on trouve aussi dans le Codex VIII de Nag Hammadi.

- un texte intitulé « Jacques » (pp. 10-30 ?), qui est une version de la Première Apocalypse de Jacques du Codex V de Nag Hammadi.

- l'Évangile de Judas (pp. 33-58).

• un texte provisoirement intitulé le Livre d'Allogène (ou l'Étranger, une épithète appliquée à Seth, fils d'Adam et Ève, dans les textes gnostiques), inconnu jusqu'à présent (pp. 59-66).

Le codex a été acquis en 2000 par la Fondation Maecenas pour l'art ancien et montré à Rodolphe Kasser au cours de l'été 2001. En 2004, lors du VIIIe congrès de l'Association internationale des études coptes qui s'est tenu à Paris, Kasser a décrit en détail quel travail soutenu il avait accompli sur l'Évangile de Judas et le Codex Tchacos. Depuis, cet évangile a suscité un intérêt et des spéculations considérables, et nous le publions afin qu'il soit accessible à tous dans les plus brefs délais.

Ce volume allait être mis sous presse lorsqu'un autre fragment de folio en papyrus, constituant les parties inférieures des pages 37 et 38 de l'Évangile de Judas, a été localisé et signalé à notre attention. Nous en avons inséré une transcription et une traduction dans ce livre, mais sans plus avoir le temps de livrer le fruit de nos réflexions sur ces passages. Le fragment du bas de la page 37 décrit la continuation de la scène qui met en présence Jésus et les disciples avant qu'ils voient le Temple. Une fois que Jésus a conclu sa déclaration et que les disciples en ont été troublés, le texte indique qu'il revient les voir, un autre jour, pour une autre conversation. Le texte au bas de la page 38 montre les disciples réagissant à une question de Jésus par des réflexions de nature polémique sur les supposés méfaits des prêtres dans le Temple, et des commentaires qui anticipent l'interprétation allégorique de la vision du Temple livrée par Jésus dans les pages 39 et suivantes. L'ajout de ce large fragment de papyrus, tout en complétant le texte de façon notable, clarifie le récit et le message de cet évangile fascinant.

Sa traduction est présentée de façon à en faciliter la compréhension. Des intertitres n'appartenant pas au texte lui-même ont été ajoutés par les traducteurs dans le but de clarifier la lecture du texte, sa structure, sa progression. Un appareil substantiel de notes de bas de page accompagne la traduction. Des textes de Rodolphe Kasser, Bart D. Erhman, Gregor Wurst et Marvin Meyer suggèrent diverses pistes interprétatives. Rodolphe Kasser retrace l'histoire du Codex Tchacos et décrit le travail de reconstitution des écrits de ce codex. Bart D. Erhman, directeur du département d'études religieuses et titulaire de la chaire James A. Gray de l'université de Caroline du Nord, offre une vue d'ensemble sur la vision spirituelle alternative de l'Évangile de Judas. Gregor Wurst évalue à la lumière du texte retrouvé les assertions d'Irénée de Lyon et d'autres hérésiologues sur l'Évangile de Judas. Marvin Meyer entreprend une analyse fouillée des particularités gnostiques séthiennes du texte, qu'il rapporte à d'autres littératures religieuses du temps de l'Église primitive. Ces commentaires touchent à diverses questions posées par l'Évangile de Judas et peuvent aider à élucider divers points d'interprétation. Certains d'entre eux sont enrichis de notes, placées en fin de volume, pouvant appeler à des interprétations approfondies ou ouvrir à d'autres lectures.

Perdu durant près de mille sept cents ans, l'Évangile de Judas a été enfin retrouvé. Les auteurs de cet ouvrage espèrent qu'il contribuera à notre connaissance et notre appréciation de l'Église primitive dans son histoire, son développement et sa diversité, et dispensera quelque éclairage sur les problèmes durables qui ont marqué cette période de formation.

L'ÉVANGILE DE JUDAS [1]

PRÉSENTATION INITIALE : INTRODUCTION

(33) Compte rendu [2] secret de la révélation [3] faite par Jésus en dialoguant avec Judas l'Iscariote sur une

---

1. Dans le Codex Tchacos, ce titre est placé tout à la fin du texte de l'Évangile de Judas. Afin de rendre ce texte plus compréhensible, les éditeurs ont jugé bon de le diviser en sections et de faire précéder chacune d'elles d'un sous-titre (par ex. « Présentation initiale : introduction »).

2. Ou : « traité », « discours », « parole » (du grécopte *logos*). Le début du texte peut aussi être traduit ainsi : « Parole révélatrice et secrète » ou « Parole explicative et secrète ». Le texte copte de l'Évangile de Judas comporte un nombre notable de mots grécoptes empruntés au grec.

3. Ou : « déclaration (solennelle) », « exposition », « énoncé » (du grécopte *apophasis*). Dans sa *Réfutation de toutes les hérésies*, Hippolyte de Rome cite un autre ouvrage, attribué à Simon le Magicien,

durée de huit jours [1], trois jours avant qu'il célèbre la Pâque [2].

LE MINISTÈRE TERRESTRE DE JÉSUS

Lorsque Jésus apparut sur la Terre, il accomplit des miracles et de grandes merveilles pour le salut de l'humanité. Et comme certains [mar]chaient dans la voie de la justice tandis que d'autres étaient engagés dans sa transgression, les douze disciples furent appelés [3].

Il commença à s'entretenir avec eux des mystères [4] au-delà du monde et de ce qui aurait lieu à la fin. Souvent il n'apparaissait pas à ses disciples sous ses

---

dont le titre comporte le même terme grec : *Apophasis megalè* – Grande Révélation (ou Déclaration, Exposé, Énoncé). L'incipit, ou début du présent texte, peut se lire ainsi : « Compte rendu secret de la Déclaration de Jésus » (ou l'équivalent).

1. *Sic*, une octave, littéralement : indique peut-être une semaine.

2. Ou peut-être, mais beaucoup moins probablement, « trois jours avant sa passion ». L'Évangile de Judas rapporte chronologiquement des événements censés s'être déroulés sur une courte période de temps menant à la livraison-trahison de Jésus par Judas. Dans le Nouveau Testament, voir Évangile de Matthieu (21, 1 à 26, 56) ; Évangile de Marc (11, 1 à 14, 52) ; Évangile de Luc (19, 28 à 22, 53) ; Évangile de Jean (12, 12 à 18, 11).

3. Sur cet appel, voir Évangile de Matthieu (10, 1-4) ; Évangile de Marc (3, 13-19) ; Évangile de Luc (6, 12-16).

4. Ici et plus loin : grécopte *mustêrion*.

propres traits, mais on le trouvait parmi eux tel un enfant [1].

Scène 1 : Jésus dialogue avec ses disciples : l'action de grâces ou l'eucharistie

Un jour qu'il avait été en Judée pour visiter ses disciples, il les trouva installés en réunion, s'exerçant à pratiquer leur pieuse observance [2]. Lorsqu'il s'ap[procha] d'eux (34), ainsi rassemblés, prononçant l'action de grâces [3] au-dessus du pain, [il] sourit [4].

---

1. *Sic*, si l'on rapproche ce *hrot* copte saïdique du copte bohaïrique *xhroti* « enfant ». Mais un autre rapprochement est tout aussi vraisemblable, sinon davantage : notre *hrot* pourrait être rattaché au bohaïrique *hortf* « fantasme, fantôme » (même *hort* dans l'un des témoins les plus anciens, IVe siècle, manuscrit de Habacuc [3, 10], Pap.Vat.Copto 9, en sud-bohaïrique), et notre *hrot* apparaît dans une situation très similaire à celle de l'Évangile de Matthieu (14, 26). Voir cependant, en faveur de la signification « enfant », Livre secret de Jean (Codex II de Nag Hammadi), 2 ; Apocalypse de Paul (18) ; Hippolyte de Rome, *Réfutation de toutes les hérésies* (6, 42, 2), où Hippolyte raconte que le Logos apparut à Valentin sous la forme d'un enfant ; et l'Évangile selon Thomas (4). Sur l'aspect fantomatique de Jésus lorsqu'il apparaît à ses disciples, voir l'Apocalypse de Pierre (Nag Hammadi VII, 3), et d'autres textes.

2. Littéralement : « exerçant (ou pratiquant) leur piété » (du grécopte précédé et suivi de l'égycopte *eur gumnaze etmntnoute*, voir I Timothée (4, 7).

3. Égycopte puis grécopte *eur eukharisti*.

4. La scène rappelle, en partie, les récits du dernier repas, particulièrement la bénédiction du pain, ou des descriptions d'un autre aliment sacré propre aux traditions juive et chrétienne. Le langage spé-

Les disciples lui dirent : « Maître, pourquoi souris-tu de [notre] action de grâces [1] ? Qu'avons-nous fait ? Nous avons fait ce qu'il convient de faire [2]. »

Il répondit pour leur dire : « Je ne souris pas de vous. Vous ne faites pas cela [de vo]tre propre volonté, mais c'est parce qu'il en est ainsi que votre Dieu sera loué [3]. »

Ils dirent : « Maître, toi [...], tu es le fils de notre Dieu [4]. »

---

cifique employé ici évoque plus encore la célébration de l'eucharistie chrétienne ; voir les autres critiques faites dans l'Évangile de Judas sur les formes de vénération au sein de l'émergente Église orthodoxe. Sur le sourire de Jésus, voir Deuxième Traité du Grand Seth (56) ; Apocalypse de Pierre (81) ; plusieurs autres passages dans l'Évangile de Judas. L'égycopte *sôbe* qu'on rencontre ici et plus loin peut être traduit par « sourire », « rire », « se moquer », etc.

1. Ou : « eucharistie » (grécopte *eukharistia*).

2. Ou : « Qu'avons-nous donc fait ? Ce qu'il convient ? »

3. Ou est-ce une interrogation ? « Dieu », présenté ici comme celui des disciples, est non pas l'Être suprême mais un dieu inférieur, l'archonte de ce monde.

4. Voir la confession de Pierre dans Évangile de Matthieu (16, 13-20), Évangile de Marc (8, 27-30), et Évangile de Luc (9, 18-21). Ici, cependant, les disciples confessent à tort que Jésus est le fils de leur propre Dieu. Cette affirmation des disciples peut tout aussi bien être traduite par une interrogation, laquelle peut encore avoir la valeur d'une affirmation renforcée : « Toi, n'es-tu pas le fils de notre Dieu ? » (c'est-à-dire : « Nous savons que tu l'es, nous te connaissons, ce qui nous permet d'écouter, sans toujours les comprendre et les accepter, tes critiques paradoxales »).

Jésus leur dit : « Que connaissez-vous de moi ? En vérité, je vous le dis [1], nulle génération de ceux qui sont parmi vous ne me connaîtra [2]. »

L'IRRITATION DES DISCIPLES

Lorsque ses disciples entendirent cela, ils se fâchèrent, s'empo[rtèrent], et commencèrent à blasphémer contre lui dans leur cœur.

Lorsque Jésus eut constaté [leur incompréhension, il leur dit] : « Pourquoi cette agitation, ce trouble vous ont-t-ils mis en colère ? Votre Dieu qui est en vous et [...] [3] (35) ont provoqué la colère dans vos âmes. Que celui d'entre vous qui est suffisamment

---

1. C'est ici la déclaration introductive habituelle qu'on trouve dans les dires de Jésus aux premiers temps de la littérature chrétienne. Ici et ailleurs, à une exception près, dans l'Évangile de Judas et dans d'autres textes séthiens, la déclaration est donnée avec le mot gré-copte *hamên* (de l'hébreu *'amen*).

2. Dans l'Évangile de Judas et dans d'autres textes séthiens, les générations humaines sont distinguées de « cette génération-là » (du copte *tgenea etmmau*), la grande génération de Seth – c'est-à-dire des gnostiques. Seuls ceux de « cette génération-là » connaissent la vraie nature de Jésus. Ailleurs dans la littérature séthienne – par exemple dans l'Apocalypse d'Adam – le peuple de Seth peut, de façon similaire, être décrit comme « ce peuple-là » (du copte *nirôme etmmau*).

3. Peut-être : [ses acolytes].

fort parmi les êtres humains fasse surgir l'homme parfait et vienne se tenir devant ma face [1]. »

Tous dirent : « Nous en avons la force. »

Mais leur esprit [2] n'osa pas aller devant lui, à l'exception de Judas l'Iscariote. Il fut capable de se tenir devant lui, m[ais] il ne put le regarder dans les yeux, et il détourna son visage [3].

Judas lui dit : « Je sais qui tu es et d'où tu es venu. Tu es [is]su du Royaume immortel [4] de Barbèlô [5]. Et

---

1. La restauration est partiellement incertaine. Ici Jésus indique que la colère montant au cœur des disciples est provoquée par leur Dieu, qui est en eux. Jésus les défie de permettre à la vraie personne – la personne spirituelle – de venir à expression et de se tenir devant lui.

2. Ici et ailleurs dans le texte, « esprit » signifie apparemment « composante vitale de la personne » ; voir Évangile de Judas (43 ; 53).

3. Parmi les disciples, seul Judas a la force de se tenir devant Jésus, ce qu'il fait avec crainte, modestie et respect. Sur le fait que Judas détourne les yeux de Jésus, voir Évangile selon Thomas (46), où il est dit que tous devraient se montrer modestes en baissant les yeux devant Jean-Baptiste.

4. Ou : « de l'éon immortel » (ici et plus loin).

5. Dans l'Évangile de Judas, c'est Judas lui-même qui confesse véridiquement qui est Jésus. Confesser que Jésus vient de l'immortel Royaume (ou éon) de Barbèlô revient à professer, en termes séthiens, que Jésus vient du divin Royaume d'en haut et qu'il est le fils du Dieu suprême. Dans les textes séthiens, Barbèlô est la Mère divine de tous, souvent définie comme la Prescience (*pronoia*) du Père, l'Esprit infini. Le nom de Barbèlô semble être basé sur une forme du tétra-gramme, le saint nom de Dieu en quatre lettres dans la tradition juive, et il vient apparemment de l'hébreu – peut-être « Dieu (*El*) en

le nom de qui t'a envoyé [1], je ne suis pas digne de le prononcer »

JÉSUS PARLE À JUDAS EN APARTÉ

Sachant que Judas réfléchissait encore au reste des réalités sublimes, Jésus lui dit : « Sépare-toi des autres et je te dirai les mystères du Royaume [2]. Il te sera possible d'y parvenir, mais au prix de maintes afflictions. (36) Car un autre prendra ta place, afin que les douze [disciples] puissent se retrouver au complet avec leur Dieu [3]. »

Judas lui demanda : « Quel jour me diras-tu ces

(b-) quatre (arb[a]) ». Pour des présentations de Barbèlô dans la littérature séthienne, voir Livre secret de Jean (II, 4-5) ; Livre sacré du Grand Esprit invisible (aussi appelé Évangile égyptien, Nag Hammadi, Codex (III, 42, 62, 69) ; Zostrien (14, 124, 129) ; Allogène l'Étranger (51, 53, 56) ; Prôtennoia trimorphe (38).

1. Celui qui a envoyé Jésus est le Dieu ineffable. L'ineffabilité du divin est également affirmée dans l'Évangile de Judas (47), et elle est mise en valeur dans des textes séthiens comme le Livre secret de Jean, le Livre sacré du Grand Esprit invisible, et Allogène l'Étranger. Dans l'Évangile selon Thomas (13), Thomas dit de façon similaire à Jésus : « Maître, ma bouche est tout à fait incapable de dire à qui tu es semblable. »

2. Le Royaume du Dieu suprême.

3. Sur le choix de Matthias pour remplacer Judas dans le cercle des douze afin que ceux-ci redeviennent douze, voir Actes (1, 15-26).

choses-là, et quand le grand jour de lumière poindra-t-il pour la génération [...] [1] ? »

Mais lorsqu'il eut dit cela, Jésus prit congé de lui [2].

Scène 2 : Jésus apparaît à nouveau – deux fois – aux disciples

Quand le matin suivant [3] fut arrivé, Jésus [apparut] à nouveau à ses disciples [4].

Ils lui demandèrent : « Maître, où étais-tu et qu'as-tu fait après avoir pris congé de nous ? »

Jésus leur répondit : « Je suis allé visiter une autre génération grande et sainte [5]. »

Ses disciples lui demandèrent : « Seigneur, quelle est la grande génération, supérieure à nous et plus sainte que nous, qui n'est pas d'ores et déjà ici, dans ces royaumes [6] ? »

---

1. Ou [comment]. De ce(s) dernier(s) mot(s), il n'est resté que des traces illisibles.

2. Judas pose des questions sur la révélation promise par Jésus et sur l'ultime glorification de cette génération, mais Jésus rompt tout contact avec lui et disparaît.

3. Ou : « À l'aube du jour suivant ».

4. Les mots « à nouveau » sont implicites dans le texte.

5. Jésus affirme qu'il est allé au-delà de ce monde vers un autre royaume, apparemment le Royaume spirituel de cette génération.

6. Ces royaumes ou éons sont, ici-bas, de simples copies ou reflets des Royaumes ou éons d'en haut. Ce thème est évoqué plus amplement dans la suite du texte. Son caractère platonicien est clair, mais le concept platonicien du royaume des idées et des reflets des idées dans notre monde fait l'objet d'une interprétation gnostique dans l'Évangile de Judas et d'autres textes, particulièrement des textes séthiens.

Lorsque Jésus eut entendu ces mots, il sourit et leur dit : « Pourquoi pensez-vous en votre cœur à la génération forte et sainte ? (37) En vérité [1], je vous le dis, aucun être issu de cet éon-ci ne verra [cette génération]-là, aucune armée d'anges stellaires ne régnera sur cette génération-là, aucune personne née de mortels ne pourra s'y associer, car cette génération-là ne vient pas de [...] qui a existé [... la gé]nération de ceux parmi vous procède de la [géné]ration de l'huma[nité...] puissante, qui [...] les autres puissan[ces] par [lesquelles] vous gouvernez [2]. »

Lorsque ses disciples eurent entendu ces paroles, chacun d'eux en eut l'esprit agité, troublé. Ils furent incapables de dire un mot.

Un autre jour encore, Jésus vint auprès d'eux et ils lui dirent : « Maître, nous t'avons vu dans une [vision], car nous avons faits de grands rê[ves ... la] nuit [...] [3]. »

---

1. Voir note 1, p. 31.

2. Dans ce passage, Jésus semble dire, entre autres choses, que la grande génération vient d'en haut et est indomptable, et que ceux qui font partie de ce monde d'en bas vivent dans la mortalité et ne peuvent accéder à cette grande génération.

3. Ici le texte peut être restauré, quoique de façon incertaine, comme suit : « car nous avons fait de grands rê[ves de la] nuit [passée] », les disciples font peut-être allusion à des prémonitions de l'arrestation de Jésus dans le jardin de Gethsémani.

Il dit : « Pourquoi avez-[vous… quand] vous v[ous] êtes cachés [1] ? » (38)

LES DISCIPLES VOIENT EN VISION LE TEMPLE ET ILS EN DISCUTENT

Ils [2] [dirent : « Nous avons vu] une grande mai[son avec un gr]and aut[el dedans, et] douze hommes – ce sont les prêtres, dirions-nous volontiers – et un nom [3] ; et une foule attendait avec persévérance devant cet autel [4], jusqu'à ce que les prêtres [… et

---

1. Peut-être là une évocation des disciples s'enfuyant pour se cacher, emplis de terreur, lorsque Jésus est arrêté. Voir Évangile de Matthieu (26, 56) ; Évangile de Marc (14, 50-52).

2. Ici le texte suggère que les disciples ont une vision du Temple juif de Jérusalem – ou, moins probablement, qu'ils sont allés visiter le Temple – puis qu'ils rapportent ce qu'ils y ont vu (voir le pronom à la première personne du pluriel, « nous », dans ce passage). Dans la section qui suit, Jésus se réfère explicitement à ce que les disciples ont « vu » ; cela justifie en partie la restauration des lacunes proposée dans cette section. Dans les Évangiles du Nouveau Testament, voir les récits des visites de Jésus et des disciples au Temple dans Évangile de Matthieu (21 ,12-17 ; 24, 1 à 25, 46) ; Évangile de Marc (11, 15-19 ;13, 1-37) ; Évangile de Luc (19, 45-48 ; 21, 5-38) ; et Évangile de Jean (2, 13-22).

3. Éventuellement, le nom (public ou secret) de Jésus ? Voir l'Évangile de Judas (38) (« ton [nom] ») et (39) (« mon nom »). Dans le contexte qu'offre le Temple juif de Jérusalem, la référence à « un nom » peut aussi renvoyer à l'ineffable nom de Dieu (Yahvé) dans la tradition juive.

4. Ici le texte semble répéter par inadvertance « cet autel-là » (un exemple de dittographie).

reçoivent] les offrandes. Nous [d'ailleurs aussi], nous persévérions. »

Jésus [demanda] : « Comment sont [ces prêtres] [1] ? »

Ils [répondirent] : « Certains […] deux semaines ; [certains] [2] sacrifient leurs propres enfants, d'autres leurs femmes, et [3] font assaut de louanges et d'humilité ; certains couchent avec des hommes ; certains commettent des [tue]ries [4] ; d'autres une multitude de péchés et d'actes illicites. Et les hommes qui se tiennent devant l'aute[l invo]quent ton [nom] (39), et tandis qu'ils sont dans toutes les œuvres de leur déficience [5], les sacri[fices… ceux]-là brûlent. »

Après qu'ils eurent dit cela, ils gardèrent le silence, car ils étaient stupéfaits, troublés.

---

1. La restauration est incertaine mais raisonnable dans le contexte.

2. Sur cette section, voir la description polémique des chefs de l'émergente Église orthodoxe dans l'interprétation allégorique de la vision du Temple donnée par Jésus dans l'Évangile de Judas (39-40).

3. Ou : « [ou] ».

4. La restauration est incertaine.

5. « Déficience » (du copte *šōōt*) est un terme technique dans des textes séthiens et autres, pour désigner le manque de lumière et de connaissance divines qui peut être imputé à la chute de la Mère – généralement Sophia, la Sagesse de Dieu – et la perte d'illumination subséquente. Voir, par exemple, la Lettre de Pierre à Philippe 3-4 (Codex Tchacos), Nag Hammadi, Codex VIII, 135). Ce passage est cité dans les Commentaires du présent ouvrage, pp. 175-176. Sur Sophia la corruptible, voir Évangile de Judas (44).

Jésus présente une interprétation allégorique de la vision du Temple

Jésus leur dit : « Pourquoi avez-vous été stupéfaits, troublés ? En vérité [1], je vous le dis, tous les prêtres qui se tiennent devant cet autel invoquent mon nom. Et encore, je vous le dis, mon nom a été écrit sur [...] des générations stellaires par les générations humaines. Et ils ont planté des arbres sans fruits, en mon nom, de manière honteuse [2]. »

Jésus leur dit : « Ceux que vous avez vus recevant les offrandes à l'autel [3] – voilà qui vous êtes. C'est là le Dieu que vous servez, et vous êtes ces douze hommes que vous avez vus. Et les bêtes que vous avez vues, qu'on menait au sacrifice, ce sont tous ceux que vous fourvoyez (40) devant cet autel-là.

---

1. Voir note 1, p. 31.

2. Cette phrase semble être une critique de ceux qui prêchent au nom de Jésus mais proclament un évangile au contenu infructueux. On retrouve la même évocation d'arbres portant ou ne portant pas leurs fruits dans l'Apocalypse d'Adam (76, 85) ; voir l'Évangile de Judas (43). À comparer peut-être aussi avec le figuier desséché dans Évangile de Matthieu (21, 18-19) et dans Évangile de Marc (11, 12-14).

3. Dans toute cette section, Jésus interprète ce que les disciples ont vu au Temple comme une métaphore de l'instruction religieuse erronée, notamment, semble-t-il, dans l'émergente Église orthodoxe. Les prêtres sont les disciples et peut-être leurs successeurs dans l'Église, et les animaux menés à l'abattage sont les victimes de la piètre observance religieuse qui a cours dans l'Église.

Il [1] se tiendra [...] et fera ainsi usage de mon nom, et les générations pieuses lui resteront attachées avec persévérance. Après lui [2], un autre homme viendra se tenir là en soutien [3], représentant des [fornicateurs], et un autre viendra se tenir là en soutien, représentant des tueurs d'en[fants] [4], et un autre, de ceux qui couchent avec les hommes [5], et de ceux qui s'abstiennent [6], et le reste de ceux qui se complaisent dans le stupre, l'illicite et l'égarement, et ceux qui disent : "Nous sommes comme les anges [7]" ; ce sont là les étoiles qui mènent toutes choses à leur terme.

---

1. Peut-être « [Le gouverneur (ou archonte) de ce monde] » : voir la Première Épître aux Corinthiens (2, 8).

2. Ou, mais moins probablement, « Après cela ».

3. Grécopte *parista* (deux lignes plus tard, *parhista*). Ceux qui sont là « en soutien », « en promotion » sont peut-être les chefs de l'émergente Église orthodoxe qui, dans cette section polémique, sont accusés d'être les auxiliaires zélés du gouverneur de ce monde. Cette « position » peut être précisée par l'ajout du mot « représentant » ici et dans les passages qui suivent.

4. Ici le texte semble suggérer que les chefs de l'émergente Église orthodoxe mènent des vies immorales et qu'ils mettent en péril celles des enfants de Dieu en les menant à une mort spirituelle. Cette image n'est pas sans rappeler la comparaison avec les animaux conduits à la mort lors des sacrifices du Temple.

5. Ici nous lisons *nrefnkotk* au lieu de *nrefnkokt* que contient le manuscrit. L'accusation d'inconduite sexuelle est une caractéristique fréquente de l'argumentation polémique. Les adversaires sont souvent traités de gens immoraux.

6. Ou : « qui jeûnent ». On trouve la même conception négative du jeûne dans l'Évangile selon Thomas (6).

7. Voir *isaggelos*, Évangile de Luc (20, 36).

Car aux générations humaines il a été dit : "Voici, Dieu a reçu votre sacrifice des mains des prêtres" – prêtre, c'est-à-dire un ministre de l'égarement. Mais c'est le Seigneur, qui commande, lui, le Seigneur de l'Univers [1]. Lorsque viendra le dernier jour, ils seront couverts de honte [2]. »

(41) Jésus [leur] dit : « Arrêtez de s[acrifier ...] que vous avez [...] sur l'autel, puisqu'ils sont au-dessus de vos étoiles et au-dessus de vos anges et ont déjà touché à leur fin ici [3]. Alors qu'ils [soient pris] [4] devant vous, et qu'ils s'en aillent (*environ quinze lignes illisibles*) [5] générations [...]. Aucun boulanger ne peut nourrir toute la création (42) sous le ciel [6]. Et [...] à eux et [...] à nous et [...]. »

---

1. Ou : « du Tout », c'est-à-dire la plénitude du Royaume d'en haut, divin (en égycopte *ptêrf*).

2. À la fin du temps, les chefs de l'émergente Église orthodoxe seront punis pour leurs actes d'impiété.

3. Ici Jésus semble indiquer que les chefs de l'émergente Église orthodoxe sont forts, mais que le temps leur est compté.

4. La lecture et l'interprétation de ce passage demeurent très incertaines.

5. Une photographie de très mauvaise qualité, prise naguère à la sauvette, n'a révélé que très peu de texte, dans les trois dernières lignes de cette page.

6. Cette déclaration pourrait être un ancien proverbe relatif au fait de se fixer des objectifs raisonnables quant à ce qu'on peut accomplir – dans ce cas, elle concernerait les lecteurs de l'Évangile de Judas qui rencontrent l'opposition de l'émergente Église orthodoxe. Inversement, cette formule peut être une critique de l'eucharistie telle qu'elle est célébrée dans l'émergente Église orthodoxe.

Jésus leur dit : « Cessez de lutter contre moi. Chacun de vous a sa propre étoile [1], et cha[cun (*environ dix-sept lignes perdues*)] (43) dans la [...] il [2] n'est pas venu [... s]ource de l'arbre [3] [... t]emps de cet éon [...] pour un temps [...] mais il [4] est venu irriguer le Paradis [5] de Dieu, et la [ra]ce [6] qui durera, car il ne souillera pas la dé[marche] de cette génération-là, ma[is...] pour toute l'éternité [7]. »

---

1. L'affirmation, qui se trouve ici et ailleurs dans l'Évangile de Judas, de ce que chacun a une étoile, semble refléter un passage du *Timée* de Platon (41d-42b). Après une déclaration du créateur du monde, il est dit que le créateur « assigna chaque âme à une étoile » et a affirmé que « celui qui aurait vécu, comme il faut, le temps prévu, celui-là retournerait dans l'astre qui lui a été affecté, pour y habiter, pour y vivre une vie bienheureuse et conforme à sa condition. » (Platon, *Timée*, trad. de Luc Brisson, Paris, GF-Flammarion, 1992, pp. 134-135.) Sur l'étoile de Judas, voir Évangile de Judas (57).

2. Ou : « qui ».

3. La référence à l'arbre, dans cette partie fragmentaire du texte, peut indiquer un des arbres du paradis. Les arbres du jardin d'Éden sont fréquemment évoqués dans les textes gnostiques, et on considère souvent l'arbre de la connaissance (du grec *gnôsis*) du bien et du mal comme la source de la connaissance de Dieu. Voir Livre secret de Jean (II, 22-23).

4. Ce « il » peut être neutre. L'identité du sujet pronominal ici et dans les lignes suivantes est incertaine.

5. Voir Genèse (2, 10).

6. Ou : « génération ». Ici comme ailleurs dans le texte, plutôt que le mot grécopte *genea*, qui est généralement employé, on lit le mot grécopte *genos*.

7. Littéralement : « d'éternité en éternité ».

JUDAS QUESTIONNE JÉSUS SUR CETTE GÉNÉRATION ET SUR LES GÉNÉRATIONS HUMAINES

Judas dit : « [Rabb]i [1], quelle sorte de fruit cette génération porte-t-elle [2] ? »

Jésus répondit : « Les âmes de chaque génération humaine mourront. Mais lorsque ces personnes auront consommé leur temps de royaume, et que l'esprit [3] s'en séparera, leurs corps mourront mais leurs âmes recevront la vie, et elles seront emportées en haut. »

Judas demanda : « Et que fera le reste des générations humaines ? »

Jésus répondit : « Il est impossible de (44) semer du grain sur du ro[cher] et d'en récolter le fruit [4]. Il en va de même [...] la génération [souil]lée [5] et Sophia [6] la corruptible ; [...] la main qui a créé les

---

1. On lirait volontiers ici le grécopte [*hrabb*]*ei*, si cette lecture n'entraînait la suppression de *je* suivant. Le titre « rabbi » ou rabbin désigne en hébreu un enseignant ou maître juif.

2. À rapprocher et à comparer avec l'Évangile de Judas (39), sur ceux qui plantent des arbres sans obtenir de fruits.

3. Le souffle de l'esprit de vie ? Sur l'esprit et l'âme, voir aussi Évangile de Judas (53).

4. Voir la parabole du semeur dans Évangile de Matthieu (13, 1-23), Évangile de Marc (4, 1-20), Évangile de Luc (8, 4-15), et dans l'Évangile selon Thomas (9). Selon cette parabole, le grain semé sur le rocher ne peut prendre racine et donc se développer.

5. Voir note 6, p. 41.

6. Ou : « Sagesse », cette partie dégénérée du divin qui, dans la tradition gnostique, chute par manque de prudence et peut être

mortels, afin que leurs âmes montent vers les Royaumes supérieurs. En vérité [1], je vous le dis, [...] ange(s) [...] puissance en mesure [2] de voir [...] ceux-là qui [......] les générations saintes [...]. »
Après que Jésus eut dit cela, il s'en alla.

Scène 3 : Judas décrit sa propre vision et Jésus lui répond

Judas dit : « Maître, de même que tu les as tous écoutés, maintenant écoute-moi aussi, car j'ai eu une grande vision ! »

Lorsque Jésus eut entendu cela, il sourit et lui dit : « Toi, le treizième esprit [3], pourquoi te donnes-tu

---

ensuite, éventuellement restaurée dans la plénitude du divin. Sophia est souvent personnifiée sous les traits d'une figure féminine dans les littératures juive et chrétienne (Proverbes 9, 16 etc.) et elle joue un rôle central dans de nombreux textes gnostiques, dont certains textes séthiens. Voir, par exemple, le récit de la chute de Sophia dans le Livre secret de Jean (II, 9-10), qui est cité dans les Commentaires du présent ouvrage, p. 175. L'enfant de Sophia, selon les récits gnostiques, est le démiurge Saklas ou Ialdabaôth. Voir l'Évangile de Judas (51).
1. Ou : « Ainsi soit-il ! »
2. Passage de signification particulièrement incertaine. Peut-être : « ... ange(s) [de la grande] puissance, (ne ?) pourront ... »
3. Ou : « treizième démon » (du grécopte daimôn). Judas est le treizième parce qu'il est le disciple exclu du cercle des douze, et il est un démon (ou daimôn) parce que sa vraie identité est spirituelle. À comparer avec ce qui est dit de Socrate et de son daimôn ou daimonion dans Le Banquet de Platon (202e-203a).

tant de mal[1] ? Mais prends donc la parole, et je te supporterai. »

Judas lui dit : « Dans la vision, je me suis vu lapidé et persécuté [...] (45) par les douze disciples. Et je suis arrivé en ce lieu où [...] après toi. J'ai vu [une maison ...][2] et mes yeux n'ont pu embrasser sa grandeur. Des gens nobles se pressaient autour, et cette maison-là avait un toit de [feuillage][3], et au milieu de la maison il y avait une foule (*une ligne perdue*), [et je m'adressais à toi[4] disant] : "Fais-moi entrer là, moi aussi, avec ces gens !" »

[Jésus] dit en réponse : « Judas, ton étoile t'a fourvoyé. » Il poursuivit : « Non, aucun être né de mortels n'est digne d'entrer dans cette maison que tu as vue, car c'est un lieu réservé aux saints[5]. Ni le soleil ni la lune n'y régneront, ni le jour, mais c'est là, dans ce Royaume éternel, que les saints seront[6] toujours, en compagnie des anges

---

1. Litt. « Pourquoi t'exerces-tu (tellement) ? »
2. Judas rapporte une vision dans laquelle il est fort maltraité par les autres disciples, voir Évangile de Judas (35-36 ; 46-47). Dans la vision, Judas s'approche d'un endroit et fait mention de Jésus (« après toi ») ; il y a là une belle et grande maison (45) céleste, et Judas demande à y être reçu avec les autres qui sont en train d'y entrer.
3. Passage très obscur, [feuillage] particulièrement incertain.
4. Le verbe « dire » est implicite dans le texte.
5. Voir ce qui suit.
6. Ou : « habiteront ».

saints [1]. Voilà, je t'ai révélé les mystères du Royaume (46) et je t'ai instruit sur l'égarement des étoiles ; et […] envoyé […] sur les douze éons. »

JUDAS S'ENQUIERT DE SA PROPRE DESTINÉE

Judas demanda : « Maître, se pourrait-il que ma semence [2] soit soumise au joug des archontes [3] ? »

Jésus répondit en lui disant : « Viens, que je […] pour que (*une ligne perdue*), mais afin que tu sois fort affligé quand tu verras le Royaume et toute sa génération. »

Lorsque Judas eut entendu cela, il lui dit : « Mais en quoi est-ce avantageux pour moi ? Car tu m'as séparé de cette génération-là. »

---

1. Sur cette description apocalyptique du ciel, voir Apocalypse de Jean (21, 23). Selon le Livre secret de Jean (II, 9), les âmes des saints résident dans le troisième royaume éternel, avec le troisième luminaire Daveithai, la demeure de la progéniture de Seth. Voir aussi le Livre sacré du Grand Esprit invisible (III, 50-51).

2. La semence ou descendance est la partie spirituelle d'une personne, l'étincelle du divin en elle, et, prise dans un sens collectif, la progéniture de ceux qui viennent du divin. Ainsi, dans les textes séthiens, les gnostiques peuvent être appelés la semence ou la progéniture de Seth.

3. Ou « gouverneurs », ici et dans la suite du texte, c'est-à-dire les gouverneurs de ce monde, et particulièrement les puissances cosmiques qui collaborent avec le démiurge. On peut aussi traduire cette phrase ainsi : « que ma semence subjugue les archontes ? »

Jésus répondit : « Tu deviendras le treizième [1], et tu seras maudit par les autres générations – et tu régneras sur elles [2]. Lorsque viendront les derniers jours, elles [...] et tu... vers le haut [3] (47) vers la [génération] sainte. »

JÉSUS ENSEIGNE À JUDAS LA COSMOLOGIE : L'ESPRIT ET L'AUTO-ENGENDRÉ

Jésus dit : « [Viens], que je t'instruise des [choses cachées] [4] que nul n'a jamais vues. Car il existe un Royaume grand et illimité, dont aucune génération d'anges n'a vu l'étendue, [dans lequel] il y a [le] grand [Esprit] invisible [5],

---

1. Sur Judas en tant que treizième disciple, voir Évangile de Judas (36 et 44), où Judas est défini comme le treizième esprit ou démon.

2. Sur la malédiction de Judas, comparer avec les évaluations de Judas dans Évangile de Matthieu (26, 20-25 ; 27, 3-10) ; Évangile de Marc (14, 17-21) ; Évangile de Luc (22, 21-23) ; Évangile de Jean (13, 21-30) ; et les Actes (1, 15-20). Il est ici suggéré que Judas est méprisé par les autres disciples, mais qu'il sera exalté au-dessus d'eux comme disciple prééminent.

3. La traduction est incertaine. Le terme semble décrire une sorte de transformation ou d'ascension, comme dans l'Évangile de Judas (57) (transfiguration de Judas) ou dans la Deuxième Épître aux Corinthiens (12, 2-4) (ascension extatique d'un homme – Paul – jusqu'au troisième ciel).

4. La restauration est incertaine. Pour une description exhaustive de la cosmologie séthienne, voir Livre secret de Jean et Livre sacré du Grand Esprit invisible.

5. Dans de nombreux textes séthiens – par exemple, le Livre secret de Jean et le Livre sacré du Grand Esprit invisible – la déité transcendante est appelée le grand Esprit invisible.

qu'aucun œil d'ange n'a jamais vu,
qu'aucune pensée du cœur n'a jamais embrassé,
et qui n'a jamais été appelé d'aucun nom [1] *.*

« Et une nuée lumineuse [2] apparut alors en ce lieu-là. Il [3] dit : "Qu'un ange [4] soit, pour être mon auxiliaire [5] !"

1. Voir Première Épître aux Corinthiens (2, 9), Évangile selon Thomas (17) ; Prière de l'apôtre Paul A. (*Oratio Pauli Apostoli*, texte copte et trad. française, p. 247-251, voir dans bibliographie Kasser et alii, *Tractatus Tripartitus*,1975). Le texte de la prière valentinienne de l'apôtre Paul est pour partie proche de la formulation qu'on trouve dans l'Évangile de Judas, comme le montre ce qui suit : « Accorde ce que les yeux des anges n'ont pas [vu], ce que les oreilles des gouverneurs n'ont pas entendu, et ce qui n'est pas monté au cœur de l'homme, qui devint angélique, fait à l'image du dieu animé lors de sa formation au commencement. » L'ineffabilité et la transcendance du divin sont mises en valeur dans de nombreux textes gnostiques, particulièrement les textes séthiens. Voir Livre secret de Jean (II, 2-4) ; Livre sacré du Grand Esprit invisible (III, 40-41) ; Allogène l'Étranger, Irénée de Lyon, *Contre les hérésies* (1, 29, 1-4), sur les gnostiques ou « barbèlognostiques » (les « gnostiques de Barbèlô ») ; Évangile de Judas (35). Des lignes du Livre secret de Jean contenant ce genre de description de la transcendance divine sont citées dans les Commentaires, p. 168-170.
2. Ou : « nuage de lumière ». La nuée lumineuse est une manifestation de la présence glorieusement céleste du divin, et les nuages de lumière apparaissent souvent dans les anciennes descriptions des théophanies. Dans les récits de la transfiguration de Jésus des Évangiles du Nouveau Testament, des nuées lumineuses accompagnent la révélation de la gloire : voir Évangile de Matthieu (17, 5-6) ; Évangile de Marc (9, 7-8) ; Évangile de Luc (9, 34-35). Dans le Livre sacré du Grand Esprit invisible, des « nuages célestes » jouent également un rôle important ; dans le Livre secret de Jean, c'est une lumière qui entoure le Père de Tous.
3. Probablement, le grand Esprit invisible.
4. Ou : « messager », ici et dans la suite du texte.
5. Ou « comme mon assistant », « pour se tenir auprès de moi », « pour ma promotion » (du grécopte *parastasis*). Comparer avec le verbe *parista/parhista* dans l'Évangile de Judas (40).

« Un grand ange, l'Auto-Engendré [1] lumineux et divin, émergea de la nuée. De son fait, quatre autres anges vinrent à être, issus d'une autre nuée, et ils devinrent les auxiliaires [2] de l'Auto-Engendré angélique [3]. Et l'Auto-Engendré (48) dit : "Que […] vienne à être […] ! ", et (il) vint à être […]. Et il in[stalla] le premier luminaire [4] pour régner sur lui. Il dit : "Que des anges viennent à être pour servir par dévotion [5] !", et des m[yriades in]nombrables vinrent à être. Il dit : "Qu'un éon de lumière vienne à être [6] !", et il vint à être. Il installa le second luminaire pour régner sur lui, avec d'innombrables myriades d'anges, pour servir par dévotion. C'est ainsi qu'il créa le reste des éons de lumière. Il les fit

---

1. Ou : « issu de lui-même », « engendré de lui-même », « conçu de lui-même », « autogène » (du grécopte *autogenès*), ici et dans la suite du texte. L'Auto-Engendré est typiquement l'enfant de Dieu dans les textes séthiens ; voir Livre secret de Jean (II, 7-9) ; Livre sacré du Grand Esprit invisible (III, 49 ; IV, 60) ; Zostrien (6, 7, 127) ; Allogène l'Étranger (46, 51, 58).

2. Ou promoteur ; grécopte encore, *parastasis*.

3. Dans le Livre secret de Jean (II, 8), les Quatre Luminaires, appelés Harmozel, Oroiael, Daveithai et Eleleth, viennent à être par l'entremise de l'Auto-Engendré. Voir aussi Livre sacré du Grand Esprit invisible (III, 51-53) ; Zostrien 127-128 ; Trois Formes de la première pensée (38-39).

4. Grécopte *phôstêr*, ici et plus loin.

5. Ou : « offrir adoration », « offrir vénération » (du copte *šmše* ici et plus loin).

6. Ou : « un éon lumineux ».

régner sur eux, et il créa pour eux d'innombrables myriades d'anges, pour assurer leur service[1].

ADAMAS ET LES LUMINAIRES

« Et Adamas [2] existait dans la première nuée lumineuse [3], celle qu'aucun ange n'avait jamais vue parmi tous ceux appelés "Dieux". Et il a (49) [...]-là [...] l'image [...] et selon la ressemblance de cet ange. Il fit apparaître la [génération] incorruptible de Seth [4] [...] les douze [... et] les vingt-quatre [...]. Il fit apparaître soixante-douze luminaires dans la génération incorruptible, en accord avec la volonté de l'Esprit. Et les soixante-douze luminaires firent eux-mêmes apparaître trois cent soixante luminaires dans la génération incorruptible, en accord avec la

1. Selon le texte, le Royaume divin est empli de luminaires, d'éons et d'anges venus à l'existence par la parole créatrice de l'Auto-Engendré, afin qu'ils servent et adorent le divin.

2. Adamas est Adam, le premier humain de la Genèse, ici considéré, ainsi qu'en bien d'autres textes gnostiques, comme l'humain paradigmatique du royaume divin et de l'image exaltée de l'humanité. Voir, par exemple, Livre secret de Jean (II, 8-9).

3. La première nuée lumineuse est la manifestation initiale du divin ; voir Évangile de Judas (47).

4. Il s'agit bien de Seth, fils d'Adam, lui aussi dans le divin royaume ; voir Genèse (4, 25 à 5, 8). Le rôle de Seth comme progéniteur de la génération de Seth (« cette génération-là ») est fermement établi dans les textes séthiens ; voir aussi l'Évangile de Judas (52).

volonté de l'Esprit, afin que leur nombre fût de cinq pour chacun [1].

« Les douze éons des douze luminaires constituent leur père, avec six cieux pour chaque éon, de sorte qu'il y a soixante-douze cieux pour les soixante-douze luminaires, et pour chacun (50) [d'eux cinq fir]maments, soit un total de trois cent soixante [firmaments …]. On leur donna autorité et une [grande] armée d'anges [sans nombre], pour la gloire et le service par dévotion, avec aussi, virginaux [2], des esprits [3] pour la gloire et le [service par dévotion] de tous les éons, et les cieux et leurs firmaments [4].

---

1. Tout arrive finalement en accord avec la volonté du divin, l'Esprit.

2. Dans les textes séthiens, le terme « vierge » (ou « virginal ») est appliqué comme épithète à une variété de manifestations et puissances divines afin de mettre l'accent sur leur pureté. Dans le Livre sacré du Grand Esprit invisible, par exemple, le Grand Esprit invisible, Barbèlô, Youel et Plesithea sont décrits comme vierges, et il y est fait mention d'autres vierges encore.

3. Dans Eugnoste le Bienheureux (ou *Eugnoste, Lettre sur le Dieu transcendant*) est inclus un passage sur les éons où sont également mentionnés des esprits virginaux, et le passage (extrait de Nag Hammadi, Codex III, 88-89) cité dans les Commentaires, p. 173, est très proche du texte ici en question. Voir aussi La Sagesse de Jésus-Christ (Nag Hammadi, Codex III, 113) et Sur l'origine du monde (105-106).

4. Ces éons et luminaires, les puissances spirituelles de l'univers, représentent des aspects du monde, particulièrement la durée et les unités de temps. Les douze éons sont à rapprocher des mois de l'année ou des signes du zodiaque. Les soixante-douze cieux et luminaires, du nombre de nations dans le monde, selon la tradition juive. Les trois cent soixante firmaments, du nombre de jours dans l'année

« La multitude de ces immortels est appelée cosmos – ou corruption [1] – par le Père et les soixante-douze luminaires qui sont avec l'Auto-Engendré et ses soixante-douze éons, en qui [2] apparut le premier homme, avec ses puissances incorruptibles. Et l'éon qui apparut avec sa génération, l'éon où se trouvent la nuée de la connaissance [3] et l'ange, est appelé (51) El [4]. […] et […é]on […après] cela […] dit : "Que douze anges viennent à être pour régner sur le chaos

---

solaire (trente jours par mois, pour douze mois), moins cinq jours inter-calaires. Ce passage de l'Évangile de Judas est à placer en parallèle avec Eugnoste le Bienheureux (III, 83-84 ; cité dans les Commentaires, pp. 172-173) ; dans la suite du texte d'Eugnoste, l'auteur évoque d'ailleurs un nombre similaire d'éons, de cieux et de firmaments.

1. Notre cosmos, à la différence du divin Royaume d'en haut, est sujet à putréfaction et peut donc être qualifié de royaume de perdition (ou de corruption).

2. Ou : « en quoi » (c'est-à-dire : le cosmos).

3. Grécopte *gnôsis*.

4. *El* est un ancien nom sémitique désignant Dieu. Dans les textes séthiens, des noms apparentés, tels que Eloaios, sont employés pour désigner les puissances et les autorités de ce monde. Le Livre secret de Jean contient par exemple « Elohim », le mot hébreu désignant « Dieu » dans les Écritures juives. Dans le Livre sacré du Grand Esprit invisible (III, 57), Nebruel est un grand démon femelle qui s'accouple avec Saklas et produit douze éons ; voir aussi le rôle de Nebroel dans les textes manichéens. Ici le nom de Nebrô est donné sans le suffixe honorifique – el (également « Dieu » en hébreu ; voir le nom El ci-dessus). Dans le Livre secret de Jean (II, 10), le démiurge

et le monde [infernal] !" Et voici, de la nuée apparut un [ange] dont le visage jetait du feu et dont l'aspect était souillé de sang. Son nom était Nebrô [1], ce qui veut dire "Apostatês [2]" ; d'autres l'appellent Ialdabaôth [3]. Un autre ange, Saklas [4], est aussi venu de la nuée. Alors Nebrô créa six anges – ainsi que Saklas – pour sa parade, et ceux-là produisirent douze anges dans les cieux, et chacun d'eux reçut une part dans les cieux [5].

Ialdabaôth a l'apparence d'un serpent à gueule de lion, et ses yeux sont comme des boules d'éclairs. Dans le Livre sacré du Grand Esprit invisible (III, 56-57), « Sophia de matière » a une apparence sanglante : « Une nuée [nommée] Sophia de matière apparut... [Elle] inspectait les régions [du chaos], et son visage ressemblait à [...] dans son apparence [...] sang. »

1. Nebrô vient très probablement de Nebrod dans la Genèse (10, 8-12) ; voir aussi Chroniques (I, 1, 10) de la Septante, où Nebrod (Nimrod en hébreu) reflète la tradition d'une figure légendaire et bien connue dans l'ancien Moyen-Orient. Le mot Nimrod peut être lié au mot hébreu pour « rebelle ».

2. Ou : « l'apostat, le rebelle » (du grécopte *apostatês*).

3. Ialdabaôth est un nom commun pour le démiurge dans les textes séthiens. Ialdabaôth veut probablement dire « enfant du chaos » (ou, moins probablement, « enfant de (S)abaôth ») en araméen.

4. Saklas, ou Sakla, comme dans l'Évangile de Judas (52), est un autre nom commun pour le démiurge dans les textes séthiens. En araméen, *Saklas* (ou *Sakla*) veut dire « insensé ».

5. La syntaxe de cette phrase n'est pas entièrement claire, de sorte que le rôle de Saklas et sa relation avec Nebrô restent flous. Nebrô et Saklas créent chacun six anges, ce qui donne les douze anges qui sont produits. Voir Livre sacré du Grand Esprit invisible (III, 57-58) :

LES ARCHONTES ET LES ANGES

« Les douze archontes parlèrent avec les douze anges : "Que chacun de vous (52) […] et qu'ils […] génération (*une ligne perdue*) anges !"

Le premier [est Se]th, qu'on appelle le Christ [1].

Le deuxième est Harmathôth, qui est […]

Le [troisième] est Galila.

Le quatrième est Iôbêl.

Le cinquième est Adônaios.

« Sakla le grand [ange observa] Nebruel le démon femelle qui était avec lui. [Ensemble] ils apportèrent sur terre un esprit de reproduction, et [ils produisirent] des auxiliaires angéliques. Sakla [dit] à Nebruel le grand [démon femelle] : "Que douze royaumes viennent à être dans le […] royaume, mondes […]".Par l'intermédiaire de la volonté de l'Auto-Engendré, [Sakla] le grand ange dit : "Il y aura […] sept en nombre […]." »

1. Ici, comme dans d'autres textes séthiens chrétiens, le Christ est décrit comme la manifestation de Seth dans ce monde. Dans le Livre sacré du Grand Esprit invisible (III, 63-64), le texte réfère à « l'Incorruptible, conçu par le Verbe [*Logos*], le Jésus vivant, duquel le grand Seth a été vêtu. » Dans la Prôtennoia trimorphe (50), le Verbe, ou Logos, déclare : « J'ai porté Jésus. Je l'ai transporté du bois maudit [de la croix] pour l'établir dans l'endroit où demeure son Père. » Voir Évangile de Judas (56).

Tels sont les cinq qui régnèrent sur le monde infernal, et d'abord sur le chaos [1].

LA CRÉATION DE L'HUMANITÉ

« Alors Saklas dit à ses anges : "Créons un être humain selon la ressemblance et selon l'image [2]." Ils façonnèrent Adam et sa femme Ève, qui, dans la nuée, s'appelle Zôè [3]. Car c'est sous ce nom que toutes les générations cherchent l'homme, et chacune

---

1. Dans le Livre sacré du Grand Esprit invisible (III, 58), on lit que par Nebruel et Sakla sont produits douze anges, dont plusieurs ont des noms similaires ou identiques aux noms cités ici, et il est fait mention de Caïn (ce passage est cité dans les Commentaires, pp. 180-181). La référence à Caïn fait songer à la déclaration d'Irénée de Lyon (*Contre les hérésies* 1, 31, 1) lorsqu'il affirme que ceux qui ont composé l'Évangile de Judas en appelaient à l'autorité de Caïn, bien que Caïn ne soit pas mentionné dans le texte subsistant de l'Évangile de Judas. Dans le Livre secret de Jean (II, 10-11), une liste similaire de noms est donnée, et il est dit que sept (anges) gouvernent les sept sphères du ciel (celles du soleil, de la lune, et de cinq planètes alors connues – Mercure, Vénus, Mars, Jupiter et Saturne) et que cinq (anges) gouvernent les profondeurs de l'abysse.
2. Voir Genèse (1, 26). Des récits similaires de la création d'un être humain se trouvent dans d'autres textes séthiens ; parfois, dans des traditions plus pleinement développées, il est dit que l'humain a été créé à l'image du Dieu d'en haut et à la ressemblance des gouverneurs de ce monde. Voir Livre secret de Jean (II, 15), cité dans les Commentaires, pp. 186-187.
3. Zôè, « vie » en grec, est le nom d'Ève dans la Septante.

d'elles appelle la femme de ces noms-là. Cependant Saklas n'a pas (53) ordonné [...] excep[té...] les géné[rations...] celle-ci [...]. Et [l'archonte] dit à Adam : "Vous aurez longue vie, toi et tes enfants [1]." »

JUDAS S'ENQUIERT DE LA DESTINÉE D'ADAM ET DE L'HUMANITÉ

Judas demanda à Jésus : « Jusqu'à [quel] point sera longue la durée de vie de l'être humain ? »

Jésus répliqua : « Pourquoi t'étonnes-tu de ce qu'Adam, avec sa génération, vive son laps de vie dans le lieu où il a reçu son royaume, à l'envi avec son archonte [2] ? »

Judas demanda à Jésus : « L'esprit de l'homme est-il mortel ? »

Jésus répondit : « C'est pourquoi Dieu a ordonné à Michel d'accorder les esprits aux hommes, comme un prêt, afin qu'ils puissent offrir leur service par dévotion, mais le Grand <Esprit> a ordonné à Gabriel [3] de

---

1. Voir Genèse (1, 28 ; 5, 3-5). Le démiurge semble tenir sa parole : on dit de personnages décrits dans les premiers chapitres de la Genèse qu'ils vécurent des vies extraordinairement longues.

2. Cette phrase est complexe et sa traduction est incertaine, mais elle semble signifier que Judas s'interroge sur Adam dans son monde, sa durée de vie et son dieu – toutes choses absurdes pour Judas. La fin de la phrase se lit littéralement ainsi : « En un nombre avec son archonte ? »

3. Michel et Gabriel sont deux archanges éminents.

donner les esprits à la grande génération sans roi [1]
– c'est-à-dire l'esprit avec l'âme [2]. Par conséquent, le
[reste] des âmes (54) (*une ligne perdue*) [3].

JÉSUS ÉVOQUE AVEC JUDAS ET D'AUTRES
LA DESTRUCTION DES MÉCHANTS AVEC JUDAS ET D'AUTRES

« [...] lumière (*une ligne perdue*) autour [...] que
[...] l'esprit [qui est] en vous [4] demeure en cette [chair]

---

1. En référence à la génération de Seth et à une description fréquente dans les textes séthiens pour indiquer que le peuple de Seth est indomptable.

2. Dieu, apparemment le dieu de ce monde, donne en prêt à certains êtres, par l'entremise de Michel, l'esprit de vie (le souffle de vie ? Peut-être ; voir Genèse (2, 7), mais le Grand Esprit, par l'entremise de Gabriel, donne en cadeau l'esprit et l'âme à d'autres êtres. La Genèse (2, 7) peut faire l'objet d'interprétations créatives dans d'autres textes gnostiques, dont des textes séthiens ; voir Livre secret de Jean (II, 19) : « Ils [cinq luminaires d'en haut] ont dit à Ialdabaôth : "Insuffle de ton esprit dans le visage d'Adam, et le corps se lèvera." Il insuffla son esprit dans Adam. L'esprit est la puissance de sa mère [Sophia], mais il ne s'en rendit pas compte car il vivait dans l'ignorance. La puissance de la Mère passa à Ialdabaôth et pénétra le corps psychique qui avait été fait comme celui qui est depuis le commencement. Le corps s'anima, et devint fort puissant. Et il était illuminé. » Sur l'esprit et l'âme dans le présent texte, voir aussi Évangile de Judas (43).

3. Dans la section fragmentaire qui suit, des formes pronominales à la deuxième personne du pluriel apparaissent, ce qui semble indiquer que Jésus n'est plus en la seule compagnie de Judas. Il est probable que d'autres disciples soient inclus dans cette discussion.

4. Voir note précédente.

parmi les générations des anges. Mais Dieu a fait que la connaissance [1] soit [donnée] à Adam et à ceux avec lui [2], afin que les rois du chaos et du monde infernal ne les dominent pas. »

Judas demanda à Jésus : « Que feront alors ces générations-là ? »

Jésus répondit : « En vérité [3], je vous [4] le dis, pour toutes celles-là les étoiles parachèveront l'œuvre [5]. Quand Saklas aura consommé le temps qui lui a été assigné, leur première étoile apparaîtra avec les générations, et elles finiront ce qu'elles avaient dit qu'elles feraient. Puis elles forniqueront en mon nom et tueront leurs enfants [6] (55) et ils [feront (*sept lignes perdues*)] mon nom, et ton étoile [règne]ra sur le [trei]zième éon. »

---

1. Ou : gnose, du grécopte *gnôsis*.

2. Ce passage suggère que *gnôsis*, ou la connaissance, est donnée à Adam, donc à l'humanité. La façon dont Adam et l'humanité en viennent à détenir celle-ci est expliquée en détail dans d'autres textes gnostiques, notamment séthiens, dans lesquels il est affirmé que l'humanité possède la connaissance, contrairement aux gouverneurs mégalomanes de ce monde.

3. Ici et dans la suite du texte, le mot grécopte *alêthôs* est employé plutôt que *hamên* auparavant.

4. Voir note 3, p. 56.

5. Les références aux étoiles, à leur influence, ainsi qu'à leur destruction future, sont d'ordre astrologique et de teneur apocalyptique.

6. Sur les massacres d'enfants et la fornication, voir Ézéchiel (16, 15-22) ; Évangile de Judas (38 et 40).

Après cela, Jésus [sourit].

Judas demanda : « Maître, [...] [1]. »

[Jésus] répondit [pour dire] : « Je ne sou[ris pas de vous], mais de l'égarement des étoiles, car ces six étoiles errent avec ces cinq combattants, et tous seront détruits avec leurs créatures [2]. »

JÉSUS PARLE DES BAPTISÉS ET DE L'ACTE DE LIVRAISON-TRAHISON (?) PAR JUDAS

Judas demanda à Jésus : « Ainsi, que feront ceux qui ont été baptisés en ton nom [3] ? »

Jésus répondit : « En vérité, je te le dis, ce baptême (56) [... en] mon nom (*environ neuf lignes perdues*) [vers] moi. En vérité, Judas, [je] te le dis, [ceux qui] offrent des sacrifices à Saklas [4] [...] Dieu (*environ deux lignes perdues*) tout ce qui est mauvais.

---

1. Restauration hypothétique possible : [« pourquoi te ris-tu de nous ? »].

2. Les étoiles vagabondes sont probablement les cinq planètes (Mercure, Vénus, Mars, Jupiter et Saturne), plus la lune. Selon les anciennes théories astronomiques et astrologiques, ces étoiles nous gouvernent et exercent des influences malignes sur nos vies. Voir aussi Évangile de Judas (37).

3. Il s'agit manifestement des chrétiens baptisés au nom de Jésus-Christ. Qu'il faille voir là une critique du baptême chrétien ordinaire, comme dans d'autres textes séthiens, n'est pas clair.

4. Sur les sacrifices offerts à Saklas, voir peut-être l'Évangile de Judas (38-41).

« Mais toi, tu les surpasseras tous ! Car tu sacrifieras l'homme qui me sert d'enveloppe charnelle [1] !

Déjà ta corne s'est dressée,

ton courroux s'est enflammé,

ton étoile a brillé de tout son éclat,

et ton cœur a [toute sa force] [2]. (57)

« En vér[ité [3], je te le dis : tes] dern[iers (*environ deux lignes et demie perdues*)] devenir [(*environ deux lignes de perdues*)] l'ar[chonte] étant anéanti, et alors le modèle [4] de la grande génération d'Adam sera exalté, car avant le ciel, la terre, et les anges, cette génération-là, qui est issue de ces Royaumes [5], existe. Voici, tout t'a été révélé. Lève tes yeux, et vois la nuée, et la lumière qui s'y déploie, et les étoiles qui l'entourent ! L'étoile qui est en tête de leur cortège est ton étoile [6] ! »

---

1. Ou : qui me sert d'habit. Jésus enjoint à Judas de faire ce qu'aucun autre disciple ne fera : l'aider à sacrifier le corps charnel (« l'homme ») qui supporte ou « habille » le vrai moi spirituel de Jésus. La mort de Jésus, avec l'assistance de Judas, est envisagée comme la libération de la personne spirituelle intérieure.

2. Sur les lignes empreintes de poésie décrivant la façon dont Judas est préparé à son triomphal acte salvateur de livraison-trahison, voir Psaumes (75, 5-6 ; 89, 18, 25 ; 92, 11 ;112, 9-10), Zacharie (2, 4) etc.

3. Restitution très vraisemblable.

4. Du grécopte *t[u]pos*, plus vraisemblable que *t[o]pos*, « lieu ».

5. C'est-à-dire : la génération de Seth est une génération préexistante issue de Dieu.

6. Judas est littéralement l'étoile-guide, la « star », la vedette humaine du texte.

Judas leva les yeux et il vit la nuée lumineuse, et il la pénétra [1]. Ceux qui se tenaient en bas [2] entendirent une voix provenant de la nuée, qui disait : (58) « [...] grande gé[nération ... i]mage ... (*environ cinq lignes perdues* [3]). » [4]

CONCLUSION : JUDAS LIVRE JÉSUS AUX GRANDS PRÊTRES

Leurs grands prêtres murmurèrent : « [Il] [5] est entré dans la salle [6] commune où il a son lieu de

---

1. Ce passage peut être décrit comme la transfiguration de Judas. Il est maintenant vengé de l'hostilité de ses condisciples en étant glorifié dans la nuée lumineuse et par la voix céleste qui lui parle, venue de la nuée et faisant probablement son éloge. Comme dans les récits de la transfiguration de Jésus (voir l'Évangile de Matthieu (17, 1-8) ; l'Évangile de Marc (9, 2-8) ; l'Évangile de Luc (9, 28-36) ; voir aussi le Livre d'Allogène, 61-62, qui vient immédiatement après l'Évangile de Judas dans le Codex Tchacos), Judas ici pénètre une nuée lumineuse, s'élève, et une voix divine s'exprime en son honneur, à l'occasion de son ascension.

2. Ou : « en dessous ».

3. Un nouveau fragment a pu être placé au haut des pages 57 et 58 du Codex Tchacos tandis que ce livre allait être mis sous presse. Ces ajouts (ou nouvelles leçons) sont inclus dans la présente traduction.

4. La plupart des paroles de la voix divine de la nuée sont perdues dans une lacune du manuscrit, mais elles louaient peut-être Judas et la grande génération, ou présentaient des conclusions sur la signification des événements décrits. Sur la voix divine dans les Évangiles du Nouveau Testament, comparer avec les récits de la transfiguration de Jésus ainsi qu'avec le baptême de Jésus, voir Évangile de Matthieu (3, 13-17), Évangile de Marc (1, 9-11) ; Évangile de Luc (3, 21-22).

5. Jésus. La restauration « [ils] sont entrés » – c'est-à-dire : Jésus et les disciples – est aussi possible mais moins vraisemblable.

6. Le même mot est utilisé dans Évangile de Marc (14, 14) et dans

prière [1] ! » Mais certains scribes étaient là qui guettaient, afin de l'appréhender discrètement en pleine prière, car ils craignaient le peuple qui le considérait comme un prophète [2].

Ils s'approchèrent de Judas et lui demandèrent : « Que fais-tu ici, toi, le disciple de Jésus [3] ? »

Judas leur donna la réponse qu'ils souhaitaient. Et il reçut de l'argent et le leur livra [4].

L'ÉVANGILE DE JUDAS [5]

Évangile de Luc (22, 11) pour désigner la pièce où le dernier repas fut célébré.

1. Cette phrase pourrait être aussi un discours indirect : « ... murmurèrent parce qu'il était entré dans la salle commune où il avait son lieu de prière. »

2. Voir Évangile de Matthieu (26, 1-5) ; Évangile de Marc (14, 1-2) , Évangile de Luc (22, 1-2) ; Évangile de Jean (11, 45-53).

3. Ou : « Que fais-tu ici, toi ? Es-tu disciple de Jésus ? »

4. Entendre : il leur livra son maître. Voir Évangile de Matthieu (26, 14-16, 44-56) ; Évangile de Marc (14, 10-11, 41-50 ; Évangile de Luc (22, 3-6, 45-53) ; Évangile de Jean (18, 1-11). La conclusion de l'Évangile de Judas est présentée en termes à la fois discrets et riches en sous-entendus ; il n'y a pas de récit de la crucifixion de Jésus.

5. Ici la formulation de l'indice titulaire n'est pas « l'Évangile selon [pkata ou kata] Judas », comme il en va dans la plupart des évangiles gnostiques. Le titre suggère peut-être qu'il s'agit là de l'évangile, ou de la bonne nouvelle, concernant Judas et de la place qui lui revient dans la tradition. Ce qu'il vient d'accomplir, conclut le texte, n'est pas une mauvaise nouvelle, mais une bonne nouvelle pour Judas et pour tous ceux qui allaient venir après lui – et Jésus lui-même.

HISTOIRE DU CODEX TCHACOS
ET DE L'ÉVANGILE DE JUDAS

L'EXCLAMATION PREMIÈRE :
« MAIS COMMENT A-T-ON PU EN ARRIVER LÀ ? »

C'ri du cœur, que laissa échapper l'auteur de la présente « Histoire », quand pour la première fois il vit, le soir du 24 juillet 2001, « l'objet » pour l'examen duquel ses interlocuteurs très embarrassés l'avaient sollicité. Objet mystérieux, écrasé sous le poids d'un passé si lourd, si énigmatique et si hostile ; objet si convoité, si fiévreusement imaginé par ceux qui comptaient sur son message pour nourrir les progrès laborieux de leur recherche scientifique. Monument culturel encore totalement inconnu à ce jour, puissant par sa parole, et pourtant porté par un document matériel d'aspect si frêle, si souffreteux, si proche de l'anéantissement final. Certes, il en acquit bientôt l'impression, l'objet était « né haï, maudit, sous une mauvaise étoile » : pamphlet de contestation en forme de codex, de papyrus, copte, vieux de plus de mille sept cents ans, mutilé par tant d'avatars néfastes, par une telle accumulation de malchances dont beaucoup auraient pu être évitées et, qui sait pourquoi, ne l'ont pas été. Victime typique de la cupidité, de l'ambition, de la stupidité, de l'inertie intellectuelle humaines. Cri provoqué par la vision frappante de l'objet si précieux mais si maltraité, fragmenté à l'extrême, partiellement pulvérisé ou presque, infiniment fragile, s'effritant au moindre contact, ce « livre antique » auquel allait être donné plus tard le nom de Codex Tchacos : le soir du 24 juillet, pauvre petite chose pitoyablement tassée au fond d'une modeste boîte en carton.

Comment avait-on pu en arriver là, à la limite du vandalisme, dans la gloire du XXᵉ siècle américano-européen finissant ? Dans quel terreau culturel avait-il germé, s'était-il développé jusqu'à son épanouissement horrifiant, ce contre-miracle exemplaire ? Dans un milieu social – celui des marchands d'art – réputé pour la délicatesse de ses méthodes et travaillant prudemment (!) et dans un milieu plus élitaire encore et non moins honorable, *a priori* irréprochable, le milieu scientifique concerné ? Mais comment… ?

Une date précise, ce 24 juillet, divise avec netteté la réponse à donner à cette question obsédante. Cette réponse s'articule sur une chronique, où s'opposent « l'avant 24-juillet » (préhistoire du Codex Tchacos) et « l'après 24-juillet » (postpréhistoire de ce codex). Après ce 24, nous pouvons appuyer notre récit et nos commentaires sur notre propre expérience, sur ce que nous avons vécu et éprouvé nous-même. Mais de ce qui a bien pu se passer avant ce 24, avouons-le, mis à part quelques indices ténus, nous ne sommes objectivement sûr de rien [1].

NATIVITÉ OBSCURE, ENFANCE TOURMENTÉE ; UN CODEX, QUATRE TEXTES

En bref : le Codex Tchacos aurait été trouvé (fouille clandestine ?) aux environs de l'année 1978, dans la région de Minieh, en Moyenne-Égypte. De là, il aurait passé entre les mains de l'antiquaire Hanna, qui, dit-on, chercha longtemps, en vain, à le vendre en dehors de sa terre d'origine. Convaincu d'avoir là un manuscrit du même type et aussi important que les treize codex gnostiques de Nag Hammadi, l'antiquaire, inconsidérément, en exigea aussitôt et sans vouloir en démordre un prix si excessivement exagéré (3 millions de dollars !) qu'il découragea et fit fuir tous ses acheteurs potentiels, aussi bien en

Europe qu'en Amérique. On sait en particulier que le Californien James M. Robinson, bien connu de tous ceux qui étudient la littérature gnostique et secondé par Stephen Emmel, avait échoué en mai 1983 dans une tentative d'achat de ce document extraordinairement précieux et convoité, alors provisoirement entreposé à Genève (voir à ce sujet le rapport Emmel du 1er juin 1983 [2]). En « chef d'entreprise » tenace et actif, conscient de ses qualités et de ses atouts, audacieux (à la limite de la témérité) dans ses méthodes de gestion d'une telle situation d'échec, autant qu'il l'était volontiers dans les conclusions catégoriques de ses enquêtes sur l'origine précise des codex qu'il cherchait à localiser en Égypte [3], le Californien paraît avoir cherché par d'autres voies l'accès aux textes gnostiques contenus dans le Codex Tchacos ; méthodes avec leurs conséquences déontologiques d'une part, physiques d'autre part, que nous nous proposons d'analyser plus loin. Mais examinons d'abord l'objet.

Dans son état de délabrement actuel, le Codex Tchacos présente encore les restes de 33 (peut-être 32) folios, soit 66 (ou 64) pages, paginées régulièrement selon les apparences ; les mutilations des folios n'ont fait disparaître que l'indication des pages 5, 49-53, 61-66, et le folio portant la pagination [31]-[32] pourrait bien avoir été supprimé ou n'avoir pas existé quand le copiste a exécuté son travail. Le manuscrit contient quatre textes, dont la langue est un copte saïdique mâtiné d'interférences idiolectales [4] de type moyen-égyptien (ce qu'on peut attendre des environs de Minieh). On a ainsi :

- 1) p. 1-9, l'Épître de Pierre à Philippe (texte parallèle, *grosso modo*, au second traité du Codex VIII de Nag Hammadi, portant le même titre) ;

- 2) p. 10-30 (?), Jacques (texte parallèle, *grosso modo*, au troisième traité du Codex V de Nag Hammadi, dont le titre est l'Apocalypse de Jacques ; traité appelé aussi, parfois, Première Apocalypse de Jacques) ;

- 3) p. 33-58, l'Évangile de Judas (texte totalement inconnu jusqu'ici, mais titre mentionné par saint Irénée dans son *Contre les hérésies* [5]) ;

- 4) p. 59-66, traité gravement amputé, au point qu'il a perdu son titre par ses mutilations initiale et finale, mais qu'il a été convenu d'appeler provisoirement le Livre d'Allogène, du nom du personnage principal que ce traité évoque (sans rapport aucun avec le troisième traité du Codex XI de Nag Hammadi, intitulé « Allogène »).

Poids financier du prestige de Nag Hammadi : conséquences inflationnistes

Obnubilé par l'extraordinaire renommée des traités gnostiques ou para-gnostiques découverts récemment (1945) en Égypte, au sud de Nag Hammadi (les premiers et les plus importants textes furent identifiés pour la première fois par le coptisant français Jean Doresse), l'antiquaire Hanna, nous l'avons vu, croyait pouvoir vendre son codex à un prix sans rapport avec ceux qui, d'une manière générale, avaient cours dans ce domaine ; d'où un blocage du marché. En 1978-1980, l'intérêt des chercheurs pour ces traités ésotériques (coptisants, historiens des religions, théologiens en grand nombre) était encore proche de son paroxysme, et même s'il a décru un peu vers la fin du siècle dernier (relayé par un regain des travaux sur le manichéisme), il demeure aujourd'hui très vivant. Entre 1978 et 1983, donc, non seulement les coptisants et gnoséologues des États-Unis (et leurs voisins du Canada) étaient encore très occupés à achever leurs divers travaux de recherche et de publication programmés dans ce domaine, mais en outre celui que ses capacités d'organisateur faisaient volontiers reconnaître *de facto* comme l'une des principales têtes chercheuses dans ce domaine, James M. Robinson, surveillait de très près le marché des antiquités européen et américain, dans l'espoir de voir réapparaître et de pouvoir récupérer (et faire acheter par quelque mécène ou université suffisamment fortunée, pour quelques milliers ou dizaines de milliers de dollars) l'un ou l'autre des folios actuellement perdus, arraché à tel ou tel des treize codex de Nag Hammadi. Ou qui sait s'il n'espérait pas apercevoir, provenant aussi de la Haute-Égypte (comme les divers autres manuscrits gnostiques découverts avant ceux de Nag Hammadi), quelques témoins de son époque (manuscrit ou objet archéologique) du même genre, fournissant des textes à peu près parallèles, ou du moins semblables, à ceux qu'on avait déjà découverts et identifiés ?

EFFICACITÉ ET MORALE : EFFICACITÉ OU MORALE
– EN RECHERCHE SCIENTIFIQUE

Une petite incursion en déontologie, illustrée ici par les misères du Codex Tchacos, ne sera sans doute pas inutile ; vouloir en faire l'économie conduit souvent à des pertes beaucoup plus considérables que l'énergie épargnée d'abord. D'où qu'ils soient, d'Europe, d'Amérique ou d'autres continents, les hommes de science sont, comme leurs congénères, des êtres humains, avec leurs faiblesses morales, leurs tentations, leurs défauts, et leurs compromis entre les exigences d'un « réalisme » jugé incontournable et la déontologie la plus élémentaire. On a pu l'observer en Suisse comme en Allemagne, en France, en Italie notamment. Aux États-Unis et dans la sphère d'influence américaine, l'équipe robinsonienne de recherches en gnoséologie ne négligeait aucune occasion d'enrichir ses connaissances (et, à travers elles, d'enrichir la science en général) en découvrant, publiant, traduisant, commentant de nouveaux textes gnostiques, sur lesquels ces zélés pionniers pouvaient mettre la main. L'opération comportait souvent quelques risques pour l'instigateur, qui les assumait volontiers, poussé par l'esprit d'entreprise et par l'espoir du succès, pour autant que les exigences des marchands s'éloignaient peu des montants des subsides universitaires disponibles, quelle que fût leur origine. Toutefois, qui doit envisager le succès doit aussi se préparer à l'insuccès, avoir en réserve une stratégie adaptée à cette conclusion non souhaitée. Or, dans le cas qui nous occupe, dans la tentative-éclair de 1983, toute la manœuvre avait abouti rapidement à un échec, du fait des prétentions inouïes du vendeur, et les chercheurs n'avaient eu qu'à battre discrètement en retraite, le texte convoité leur restant hermétiquement fermé. À peine entrevu (mais suffisamment pour exacerber la convoitise), il disparaîtrait pour de longues années dans quelque obscur coffre bancaire, et pourrait même se volatiliser définitivement si quelque accident physique, au

cours de ces imprudents voyages, devait le réduire en
poussière ou en cendres.

DÉONTOLOGIE : PRINCIPES, GESTION, ADAPTATION
AUX RÉALITÉS VÉCUES – ENTRE 1983 ET 2001

C'est ici qu'intervient la supériorité incomparable,
invincible de la morale scientifique ou déontologie
(toute question de personne, sympathie ou antipa-
thie, mise à part). On peut l'oublier passagèrement,
et lui préférer ce que l'on croit être une forme d'efficacité plus immédiate, quitte à reconnaître, plus
tard, que l'option choisie n'avait pas été scientifiquement la plus productive. Dans le cas du Codex
Tchacos, le meilleur choix déontologique eût été de
« faire contre mauvaise fortune bon cœur » et
d'alerter (en leur donnant toutes les informations
nécessaires pour agir) d'autres coptisants gnoséologues, appartenant même à quelque équipe rivale ou
concurrente ; lesquels disposaient éventuellement
d'appuis financiers plus considérables et auraient pu
ainsi, avec un peu plus de chance, « pêcher le gros
poisson ». Certes, quelques notes, dans diverses
publications académiques, signalèrent l'existence du
nouveau témoin gnostique, toutefois sur un ton mystérieux, ne permettant pas de connaître et d'appro-
cher le détenteur du document qu'on aurait souhaité

mettre entre les mains des chercheurs concernés. Des détails plus précis avaient probablement circulé « entre amis », sans franchir toutefois les limites d'un cadre très personnel et confidentiel. « Déontologie cooptative », s'il est permis de s'exprimer ainsi. Certains se sont déplacés des États-Unis jusqu'en Suisse pour y acheter un trésor dont les coptisants suisses, et même européens en général, ignoraient, sinon l'existence, du moins la localisation, une localisation assez précise pour permettre une approche ciblée, ayant quelque chance de succès. On peut donc l'imaginer : après leur tentative hardie mais malheureuse de 1983, il semble que certains chercheurs d'outre-Atlantique aient cru préférable de s'en tenir à une politique de (semi)-confidentialité préservant leurs chances, prioritaires, de réussir un peu (ou passablement) plus tard ce qu'ils n'avaient pu réussir en 1983 : réussir eux plutôt que d'autres ; en courant le risque d'une attente plus longue, avec tous les dangers que comporte une extension très considérable des délais pour un manuscrit en situation précaire, hors de tout contrôle scientifique ; notamment des conditions de dépôt inappropriées, sous la responsabilité de marchands d'antiquités ou autres propriétaires non préparés à résoudre les problèmes concrets qu'entraîne cette propriété d'un genre très particulier, non préparés à manipuler sans dégâts perceptibles (laisser ou ne pas laisser toucher par des acquéreurs potentiels), déplacer et stocker (dans des coffres bancaires ?... de simples tiroirs ?... dans des conditions de température et d'hygrométrie incontrôlées ?... etc.) des objets de ce genre, d'une fragilité et d'une délicatesse extrêmes.

Grâce à des documents qui se trouvent entre les mains de la Fondation Maecenas pour l'art ancien (créée en 1995, à Bâle, dans le but de protéger le patrimoine artistique et culturel, trop souvent pillé et dispersé, de nations économiquement et politiquement faibles), nous disposons maintenant de quelques renseignements précis sur les dix-sept années qui se sont écoulées entre le 15 mai 1983 et le 3 avril 2000, date à laquelle Frieda Tchacos Nussberger, collaborant avec Maecenas, est entrée une première fois et pour un peu moins de six mois en possession du codex : le 23 mars 1984, Hanna avait loué un coffre-fort auprès de la succursale de la Citibank à Hicksville, New York, où il avait conservé le manuscrit jusqu'à sa vente à Mme Nussberger, le 3 avril 2000. Herbert Krosney nous apprend que Hanna avait contacté au mois d'avril 1984 aussi bien l'antiquaire new-yorkais Hans P. Kraus que le professeur de papyrologie Roger Bagnall, de l'université Columbia de New York, pour leur proposer cet objet et d'autres textes, toujours à des prix exorbitants. On peut imaginer que Hanna, au cours des années suivantes, ait finalement compris que ses prétentions financières étaient si irréalistes qu'elles l'empêcheraient de vendre l'objet rapidement, et même lentement. Soudain, il aura eu un besoin urgent de liquidités, l'obligeant à céder notre codex à un prix relativement bas à Mme Nussberger. Nous n'avons par ailleurs pas été surpris d'apprendre que James M. Robinson n'avait pas cessé de vouloir mettre la main sur le codex et qu'une rencontre prévue avec l'antiquaire avait échoué seulement parce que la première guerre du Golfe de 1990-1991 avait ôté à Hanna toute envie de s'éloigner de sa famille. Il se trouvait donc en Égypte et, lui seul ayant accès au coffre-fort de la Citibank, nous pouvons supposer que les manuscrits y sont restés enfermés pendant toutes ces années, à l'intérieur d'une boîte étroite, subissant les fluctuations du climat de cette banlieue new-yorkaise, toujours changeant mais trop humide à l'ordinaire. « Déontologie cooptative », oui, mais à quel prix ? Celui d'une prolongation dangereuse des souffrances du codex.

Quelle fut la suite des événements telle qu'on la connaît ? Le 3 avril 2000, l'intérêt de Frieda Nussberger pour le codex s'accrut ; elle le déposa pour quelques mois en examen à la Beinecke Library (université Yale), qui semblait vouloir l'acquérir… et qui finalement, en août 2000, y renonça. À partir de ce moment-là, il est admis que certains spécialistes (dont Bentley Layton) purent avoir accès au codex, le manipuler un peu pour mieux connaître son contenu, mais sans que cela entraîne aucune décision d'acheteurs potentiels.

PRÉHISTOIRE EN PHASE FINALE : L'ÉPISODE FERRINI ET LE PRÉTENDU SALUT PAR CONGÉLATION

Quoi qu'il en soit, le 9 septembre 2000, Frieda Nussberger vendit l'objet à l'antiquaire américain Bruce Ferrini qui, croyant faciliter la conservation du manuscrit, dit-on, le fit congeler (*sic*) pour tuer la vermine dévoratrice de papyrus qu'il supposait s'y être logée ; procédé brutal qui, on le constate aujourd'hui, a amoindri sa résistance d'une manière catastrophique. Ensuite, n'ayant pas été en mesure de payer la somme due, l'antiquaire se vit obligé de rétrocéder l'objet à Frieda Nussberger le 18 février 2001 ; à des conditions très strictes, qui, on le constata plus tard, ne furent pas respectées : Ferrini s'était engagé à céder à Mme Nussberger la totalité des parties du codex en sa possession, ainsi que toute transcription et toute photo, mais la suite des événements montra, ou laissa entrevoir, que Ferrini, avant de rendre son dû à Nussberger, se permit de prélever plusieurs fragments de pages qu'il vendit « ailleurs » ; et qu'il conserva maintes photographies de certaines pages, notamment dans le but d'en faire bénéficier le coptisant Charles W. Hedrick (nous en reparlerons plus loin). Quoi qu'il en soit, juridiquement, Frieda Nussberger avait acquis l'exclusivité sur toute information concernant le texte de ce codex. Mais qu'allait-elle faire de celui-ci ? L'avocat suisse Mario Roberty, qui l'avait aidée à récupérer le codex, lui proposa l'achat de ce manuscrit par la Fondation Maecenas, qu'il préside, à condition qu'elle accepte de lui octroyer le crédit nécessaire. Frieda Nussberger accepta cette proposition, et le codex fut officiellement importé en Suisse le 19 février 2001, après avoir été mis au nom de la fondation qui, en application de ses principes, voulut, par ce geste généreux, mettre fin à ses tribulations, le préserver désormais des risques du marché, puis le faire restaurer professionnellement, garantir sa conservation et le rendre public. En conclusion, à la fin de 2009, Maecenas en fera don à une institution idoine de l'Égypte, son pays d'origine. Les autorités égyptiennes ont accepté cette donation et attribué par avance le codex au Musée copte du Caire. C'est ainsi qu'ont mûri les circonstances ayant abouti à l'historique rencontre du 24 juillet 2001.

LE 24 JUILLET 2001 DÉBUTE L'HISTOIRE AU GRAND JOUR DU CODEX

Au début du mois de juillet 2001, le destin (s'il est permis d'avoir recours à cette terminologie) se manifesta inopinément, mettant en mouvement le processus qui allait transformer le « cas désespéré » du Codex Tchacos – proche de l'anéantissement à la suite d'une longue agonie sans gloire – en un « cas plein d'espoir » (malgré les avaries subies, et dont certaines étaient devenues malheureusement irrémédiables) ; un cas promis à un avenir glorieux, comme l'avait pressenti jadis Emmel (1er juin 1983) : « Je vous engage instamment à faire l'acquisition de ce codex gnostique. Sa valeur culturelle est extrême, en tous points comparable à celle de tous les codex de la bibliothèque de Nag Hammadi [6]. »

C'est donc au début de ce mois que je suis devenu témoin au sens plein du terme : je fus appelé par téléphone par Mme Nussberger, au nom de la Fondation Maecenas. Il s'ensuivit une rencontre à Zurich le 24 au cours de laquelle ce qui fut raconté du codex de papyrus excita tellement ma curiosité que je demandai la permission de le voir, dans un premier temps. Et j'ajoutai la proposition suivante : si l'objet énigmatique examiné devait donner une impression assez positive, je pourrais éventuellement conseiller à Maecenas la marche à suivre. Si le texte ou les textes écrits sur le papyrus se révélaient suffisamment intéressants, je m'offrais à en préparer l'édition gratuitement (pour ce qui concernait mon travail de coptisant). La fondation, cependant, ne pourrait éviter d'autres frais préliminaires, indispensables, probablement assez élevés : le manuscrit devrait être méticuleusement restauré et consolidé (et ce pourrait n'être pas une petite affaire si – hypothèse la plus pessimiste – son état se révélait proche de la désagrégation la plus totale) ; ensuite, chaque folio du codex serait mis sous verre, de manière à pouvoir être photographié – l'essentiel du travail de préparation de l'édition s'effectuant à partir d'excellentes photographies du document, afin de manipuler le moins possible l'original. Un beau projet, stimulant, enthousiasmant, tout en restant raisonnable. Et, tout à la fin de ce processus, Maecenas, conformément à ses principes, pourrait restituer à l'Égypte, en tout honneur, ce manuscrit digne de sa civilisation antique ou tardive, objet qui aurait entre-temps été entouré de tous les soins nécessaires, choyé, complètement restauré, correctement édité... Ce processus pourrait être considéré alors comme un modèle de collaboration entre Maecenas et la nation lésée ; nation spoliée certes dans un premier temps, par un spoliateur mal connu, mais aujourd'hui, le spoliateur principal ayant disparu, son butin avait pu être récupéré. L'honneur était sauf, la spoliation abolie et effacée ; désormais, on s'affairait à « panser les blessures de qui avait été blessé ». Réponse courageuse et généreuse du bienfaiteur (Maecenas). Aussi serait-il injuste de passer maintenant sous silence l'immense dette de reconnaissance que la communauté scientifique a contractée, ce jour-là, envers Maecenas, pour sa décision positive et tous les actes ultérieurs (sensiblement coûteux) qui l'ont confirmée et suivie : restauration du papyrus, couverture photographique progressive, aménagement des conditions rendant possible l'édition des textes contenus dans le codex (accords Maecenas/National Geographic Society, organisation de la prise en charge des frais de restauration, organisation du travail, expositions itinérantes, etc.). Si ce manuscrit auparavant si malchanceux est ressuscité aujourd'hui du néant auquel il semblait voué, avec ses richesses culturelles totalement inconnues jusqu'ici, ce miracle – le terme n'est pas exagéré –, coptisants et théologiens le doivent d'abord à l'engagement de Maecenas, franc et ferme, exemplaire de persévérance, dans cette opération remarquable.

Premier choc ! Vision fascinante et terrifiante, puis prémices d'un timide espoir

Il importe de revenir au récit des événements du 24 juillet 2001, surprenants : le soir même, je pus voir le fameux Codex. Je m'attendais à une surprise, et la surprise, certes, je l'eus, quand on me montra, tassé au fond d'une boîte en carton – conformément à l'hypothèse la plus pessimiste – les restes de ce qui avait été un joli codex de papyrus, peut-être de la première moitié du IVe siècle. Ce premier coup d'œil, assouvissant ma curiosité, fut pour moi d'abord une étincelle, un clin d'œil électrisant, un réel ravissement, par ce qu'il laissait deviner, interpellant l'ignare que j'étais, pénétrant sans y être invité dans le jardin secret d'un message qui ne m'était pas destiné. Ravissement suave, oui, profondément stimulant, mais auquel bientôt, en effet, succéda un choc brutal, tout aussi violemment déstabilisant. Horreur ! Au cours de ma longue carrière, j'avais eu devant mes yeux beaucoup de documents coptes ou grecs sur papyrus, parfois très « malades », mais dégradés à ce point, jamais ! Un support si noirâtre qu'en maints endroits la lecture y était devenue pratiquement impossible ; et surtout, un papyrus si dégénéré, si affaibli, qu'il ne tolérait plus le moindre attouchement ; presque tout contact, si léger fût-il, le faisait partir en poussière... Bref, un cas apparemment sans espoir.

Choc ! Anti-choc... Re-choc ! Néanmoins, ce codex si peu engageant demeurait irrésistiblement attractif par l'un de ses colophons, placé de telle manière qu'il avait l'air d'être sa page finale, annonçant un traité considéré, jusqu'ici, comme irrémédiablement perdu : *peuaggelion nioudas*, l'Évangile de Judas. Voilà qui justifiait au moins une entrée en matière. Et en évaluant (superficiellement bien sûr) le succès de l'entreprise, tout n'y paraissait pas désespérément négatif. Tassé dans la boîte qui le contenait, avec ses folios si fragiles et fragmentés, le codex paraissait avoir échappé à une dispersion fragmentaire pire encore. Si, d'après les apparences, fréquemment la partie médiane des folios avait été brisée en une dizaine de « miettes », plus souvent petites que grandes, du moins pouvait-on croire raisonnablement, ou espérer prudemment, qu'elles étaient restées concentrées et (presque) toutes contenues dans la boîte ; en envisageant de les prélever soigneusement, le plus minutieusement possible, puis de les restaurer, de les consolider quelque peu, on arriverait peut-être, avec beaucoup de patience et tout autant de chance, à les fixer à nouveau ensemble, à reconstituer ainsi quelques parties des folios démembrés. Autre motif d'un optimisme tempéré : on constatait que la marge supérieure des pages semblait assez peu attaquée, d'où la possibilité d'avoir une pagination continue, permettant d'établir exactement la succession des folios, contenant des textes jamais rencontrés ici sous cette forme, et même, pour le principal d'entre eux et pour nous, un évangile entièrement nouveau. Les possesseurs du codex acceptant très généreusement ce verdict liminaire et se montrant disposés à prendre en charge les dépenses initiales, on put envisager d'entrer en action. Opération limitée aux frais indispensables (travaux de restauration, de photographie), les deux coptisants impliqués (moi-même depuis 2001 et Gregor Wurst dès la fin de l'été 2004) n'exigeant aucun salaire.

Première étape : une restauration génératrice d'espoir, puis l'espoir sapé

Première mesure urgente, à prendre sans tarder : la restauration, commençant par la mise sous verre, un par un, de tous les folios, d'ailleurs tous incomplets – d'importantes parties de la reliure du codex manquaient, et, à part quelques milieux de cahiers, ses folios n'étaient plus fixés les uns aux autres. On pourrait alors manipuler ces folios plus librement, à moindres risques, et par conséquent (premier but qu'on voulait atteindre) photographier les pages, et enfin... accéder progressivement au texte, en visant à la totalité de son déchiffrement. Travail minutieux qui fut entrepris immédiatement, conformément au programme établi. Il faut souligner ici la compétence et la dextérité mises en œuvre, dans cette opération d'une difficulté et d'une délicatesse incomparables – spécifiquement dues à la fragilité exceptionnelle du support –, par la directrice de l'atelier de restauration de Nyon (Suisse) engagé dans ce travail, Mme Florence Darbre, laquelle, avec ses doigts de fée, rendit en grande partie possible ce qui, au premier abord, paraissait voué à l'échec. Non négligeable aussi, dans ce succès qui permit d'établir ensuite, de transcrire, de traduire et commenter le texte ainsi révélé, fut l'excellent travail professionnel fourni, d'étape en étape, par le photographe Christian Poite de Genève ; la qualité des images à laquelle il parvint fut une aide inestimable pour les coptisants s'acharnant à identifier les graphèmes sévèrement mutilés et trop souvent devenus flous à cause de l'état désastreux du support. Ainsi, l'œuvre entreprise et conduite avec perspicacité et ténacité porta bientôt ses premiers fruits : désormais, scientifiquement, le « codex miraculé » avait cessé d'être inexistant. Il était passé de l'état d'*abstraction* à celui de réalité. Grâce à ce travail de restauration, d'enquête et d'évaluation exceptionnellement subtil, il devint possible de constater et confirmer ce que tels « observateurs-guetteurs » d'avant 2001 avaient pu, en guignant, entrevoir en partie, par un rapide coup d'œil, et s'étaient risqués à consigner par écrit, à savoir que ce codex contenait au moins trois et même quatre textes successifs. Le quatrième, que nous avons nommé Livre d'Allogène, nous est apparu (à Gregor Wurst et à moi-même) seulement dans le courant de l'année 2004. Une importante partie de la pagination du codex s'était donc conservée, et cette constatation préliminaire suscita d'abord de grands espoirs (le nombre des folios relativement bien conservés semblant dès lors atteindre et même dépasser un peu la trentaine). Espoirs toutefois, bientôt, cruellement déçus. En effet, cet examen de plus en plus poussé de l'objet fit apparaître que notre codex, avant son acquisition récente par Maecenas, avait dû subir, vraisemblablement de la part de certains des antiquaires qui l'avaient eu en leur possession, diverses manipulations inconsidérées, imprudentes, dommageables, et simultanément peu honnêtes, étant de nature à induire le chercheur scientifique en erreur.

Le codex violé, trafiqué, pillé, par qui ? pour quoi ? – Pulsions et tactiques, résultats ravageurs, maquillages et supercherie

Il paraîtrait totalement invraisemblable et scandaleux d'imaginer des chercheurs scientifiques maltraitant ainsi, au mépris de toute déontologie, le manuscrit avant de procéder à sa restauration, uniquement dans la hâte inconsidérée de connaître déjà, avant d'hypothétiques concurrents, le contenu de ces textes encore entièrement (ou presque) inconnus. Un marchand d'antiquités peut, au contraire, n'avoir pas ces scrupules. Certes, il n'a pas intérêt à trop endommager (ou à laisser trop endommager par un auxiliaire photographe, par exemple) l'original dont il espère tirer un bon prix. Mais « on ne fait pas d'omelette sans casser d'œufs », et il aura quelque difficulté à vendre sa marchandise, à convaincre un acheteur potentiel (surtout si le prix exigé est très élevé) s'il ne peut lui montrer en photos certaines parties du texte (colophons et autres titres, décorés de manière suggestive) susceptibles d'exciter la curiosité des chercheurs. « Qui paie commande », et qui paiera, sinon l'antiquaire ?... Et il peut même arriver aussi qu'un chercheur, occasionnellement, et accidentellement, prête son concours à une telle opération-scénario, très risquée pour le manuscrit... dans l'espoir d'accroître son information personnelle, avant les temps prévus pour l'exploration sage et méthodique du manuscrit... « Que celui qui n'a jamais été tourmenté par cette tentation lui jette la première pierre [7] !... »

En particulier, on pouvait constater que le codex avait été soumis à la pression d'une main plus impatiente que respectueuse de sa fragilité...

main au service d'un œil (physique ou photographique) exigeant, insistant et non embarrassé par trop de scrupules... un œil vif, rusé, entreprenant, s'insinuant entre les obstacles visuels, cherchant à percer, à dissoudre leur opacité.... un œil vorace, avide de voir le plus possible de « beau » texte à l'intérieur de la masse difficilement pénétrable formée par l'amas compact des feuillets superposés. Victimes de cette pénétration forcée — progressive et répétitive, de l'intimité d'un témoin unique et par là, irremplaçable —, tous les folios du manuscrit avaient, hélas, été brutalement brisés aux deux tiers (environ) de leur hauteur par une profonde crevasse. Cette rupture avait divisé chaque page en deux parties de surfaces inégales. Sur le fragment supérieur (ou fragment haut) figurent la pagination et très peu de texte (souvent très mutilé). Le fragment inférieur (fragment bas) est évidemment privé de pagination mais il est riche en texte cohérent. Or une main porteuse de désordre semble avoir tumultueusement mélangé et interverti les fragments bas, rendant particulièrement difficile l'identification et la mise en situation correcte de la majorité d'entre eux, lesquels ont ainsi perdu tout contact fiable avec les fragments hauts correspondants. La preuve de cette intrusion à la hussarde et de ce bouleversement radical a été obtenue par l'analyse des fragments hauts puis des fragments bas de la première moitié du codex, contenant les épîtres de Pierre et de Jacques, dont nous avons, dans la collection de Nag Hammadi, des textes suffisamment parallèles pour permettre la remise en ordre correct de nos fragments bas. Malheureusement, l'ordre des fragments bas de Judas, privé de tout parallèle, restait beaucoup plus aléatoire. Il ne pouvait être déterminé avec une certaine sécurité ou vraisemblance que par la qualité des fibres du papyrus (entre fragments hauts et fragments bas souvent sans contact mutuel direct) ; plus rarement, on pouvait recourir à l'argument grammatical négatif, quand le début du texte de tel fragment haut ne pouvait absolument pas être la suite du texte final de tel fragment bas proposé comme précédent.

Bref, tous ces indices convergents – compliquant à l'extrême la tâche de l'investigateur –, auxquels s'ajoutaient les incertitudes supplémentaires créées par les mutilations confirmant ces indices, toutes ces anomalies observées attentivement, l'une après l'autre puis dans leurs relations réciproques, pouvaient, immédiatement et à la limite, donner l'impression que le codex avait été sciemment « trafiqué » pour optimiser sa promotion commerciale : il semblait avoir été assez profondément « réorganisé » par quelque (peu scrupuleux) manipulateur, ayant « travaillé » sa présentation dans un but (probablement) intéressé ; autrement dit, on lui avait fait subir une sorte de « mise en scène », destinée à le rendre superficiellement plus attractif, à aiguiser la curiosité du client potentiel. Dans cette hypothèse, déjà, de manière très spectaculaire, le « paquet », composé d'une trentaine de folios, semblait se terminer par le titre final : l'Évangile de Judas. Symétriquement, on semblait avoir désiré le présenter sous un « joli titre » en plaçant au début, cette fois, sous le fragment haut de la page 1 (A), début de l'Épître de Pierre, le fragment bas de la page 9 (θ), fin de cette épître ; intervention qui créa ainsi, artificiellement, un résumé si comprimé de ce traité qu'il nous a d'abord induit en erreur et stupéfié (les « sutures » étant habilement maquillées), jusqu'au moment où nous nous sommes aperçu de la supercherie. Et s'il est permis de pousser le soupçon plus loin… on remarquera que tous ces remaniements arbitraires auraient pu permettre à notre promoteur-prestidigitateur de prélever un nombre appréciable de fragments bas de l'Épître de Pierre, ainsi que d'autres de Jacques et Judas, outre quelques fragments hauts non compromettants parce que leur mutilation y avait fait disparaître la pagination… d'en faire un petit paquet supplémentaire à vendre, dont une face serait ornée en y plaçant un grand fragment probablement du folio p. 29-30 (?) (absent de notre lot mais apparu ensuite, mystérieusement, dans le catalogue d'une exposition religieuse itinérante aux États-Unis), portant (p. 30 ?) le titre final de Jacques (mais très raccourci par rapport à son « frère » du troisième traité du Codex V de Nag Hammadi ; ici simplement « Jacques », sans la mention d'une « apocalypse » quelconque).

L'interprétation de ces manipulations apparentes ressortit, bien sûr, au domaine de l'hypothèse ; ce ne sont que simples soupçons... mais s'ils pouvaient choquer et réveiller quelques esprits encore « bien inspirés » et sains, et provoquer, par réaction, d'une manière ou d'une autre, la réapparition et la récupération supplémentaire de quelques fragments éparpillés de notre codex pillé et diminué dans sa capacité documentaire, ils auraient eu leur utilité.

Conséquences, tractations confuses, va-et-vient, récapitulation

Ces observations effectuées au cours de l'« histoire » du Codex Tchacos ont bel et bien fait remonter à la lumière des indices frappants permettant de reconstituer quelque peu, au titre d'hypothèses devenant de plus en plus vraisemblables, des faits marquants appartenant à la préhistoire récente de ce manuscrit. Avec l'autorisation expresse de la Fondation Maecenas, le 1er juillet 2004, à Paris, au VIIIe congrès de l'Association internationale des études coptes, j'ai pu annoncer la découverte, pour la première fois, d'une copie (copte) du fameux Évangile de Judas (mentionné, comme nous l'avons déjà précisé, par saint Irénée dans son *Contre les hérésies*, autour de l'an 180, mais complètement disparu depuis lors). Cette découverte sera suivie, avant la fin de 2006, de l'édition princeps de tous les textes du Codex Tchacos. Édition succincte et rapide contenant, entre autres, la reproduction photographique de toutes les pages de ce codex en couleurs, de la meilleure qualité, à l'échelle 1/1. Cette série sera complétée par la reproduction, en couleurs aussi, 1/1, des « miettes » de papyrus (malheureusement encore fort nombreuses) qui, dans les délais raisonnables accordés par Maecenas pour éviter de trop retarder la publication des surfaces écrites déjà relativement lisibles, n'auront pu être identifiées et placées à leur lieu d'origine retrouvé, dans tel ou tel folio endommagé. Insuccès provisoire, bien sûr, tolérance consentie seulement après des efforts considérables… Un des procédés utilisés pour identifier ces débris a été le découpage minutieux, nécessitant une patience infinie, des photographies en couleurs, 1/1, de ces « miettes » si précieuses ; découpage effectué par les « petites mains » d'auxiliaires aussi enthousiastes que bénévoles et dévouées, Mmes Mireille Mathys, Serenella Meister et Bettina Roberty. Ayant participé à leur tour et à leur manière à la résurrection du Codex Tchacos, elles aussi méritent la pleine reconnaissance des chercheurs qui, dès la publication de cette édition princeps, pourront jouir d'un libre accès au texte. Ainsi, identifié ou non, aucun débris de ce fameux codex ne sera exclu de son édition princeps. Nées par érosion, par frottements réciproques, nées des multiples manipulations successives, imprudentes et malencontreuses décrites plus haut, ces miettes, irremplaçables par leur authenticité, seront stockées là, dans ces planches photographiques de miettes. Elles resteront ainsi en attente, parce que, peu à peu, nous le souhaitons vivement, elles pourront être identifiées par des lecteurs particulièrement zélés et perspicaces, au cours des décennies futures. Occasion offerte aux générations à venir de se distinguer en achevant, avec des méthodes et des techniques encore plus efficaces que les nôtres aujourd'hui, la tâche initiée par les générations passées. Certainement, le progrès ne cessera de se développer et de produire des fruits que nul ne saurait imaginer aujourd'hui. Et puisque nous en sommes à remercier toutes les bonnes volontés conjuguées qui, non mentionnées sur la page de titre de l'édition et sans bénéficier d'aucune rémunération d'aucune sorte, ont participé activement à l'heureux achèvement du présent ouvrage, il serait injuste d'omettre le nom de Michel Kasser, qui apporta une contribution fort bienvenue à la solution de divers problèmes de déchiffrement de documents photographiques, généralement anciens, très mal contrastés, ainsi qu'à la préparation de la version de mon texte d'introduction (pour l'édition anglaise).

Paris 2004 et ses premiers échos
– Déclaration d'un gnoséologue réputé, interloqué, écho d'un investigateur dépassé par les événements

L'annonce de Paris devait, par une réaction naturelle, susciter un certain émoi (lequel se manifesta effectivement) ; elle devait aussi – nous l'espérions – « faire sortir du bois » des informations supplémentaires sur divers fragments du manuscrit non livrés par Ferrini à Maecenas malgré ses promesses, lambeaux du codex démembré par l'antiquaire américain avant sa rétrocession du 18 février 2001, censée être complète. Des conversations particulières entendues à Paris indiquaient de manière suffisamment claire que, peu après sa sortie clandestine d'Égypte (1979 ?) et dans les années (1983-2000) ayant précédé son aboutissement en son havre de paix actuel (Maecenas), le codex – devenu invendable à cause du prix exigé par Hanna – avait voyagé à plusieurs reprises entre l'Europe et les États-Unis. Certaines rumeurs disaient que divers coptisants d'outre-Atlantique, frustrés et impatients, désespérant de pouvoir faire acheter le manuscrit par leur université ou quelque institution analogue, avaient réussi à obtenir de tel antiquaire amadoué (et conscient de son propre intérêt aussi) quelques photos généralement de très mauvaise qualité, néanmoins instructives à certains égards ; et plusieurs participants au congrès de Paris semblaient s'étonner que je n'aie jamais été informé de ce trafic semi-clandestin, et que je n'aie pas bénéficié, moi aussi, de ces largesses documentaires. Mais quel était mon droit à cette information ? Le geste n'aurait été qu'une attention amicale, libre de toute obligation, n'est-ce pas ? Bref, après avoir achevé de donner ma communication du 1er juillet 2004, j'attendis les réactions de mes auditeurs, et un seul d'entre eux (mais non le moindre) demanda la parole. James M. Robinson m'adressa publiquement l'avertissement suivant (en substance) : *Avant d'achever et de diffuser sa publication de l'Évangile de Judas, M. Kasser ferait bien de s'informer sur l'existence de photos dudit codex circulant aux États-Unis depuis une vingtaine d'années, en sous-main, et qui pourraient bien contenir des parties du texte ayant échappé à Maecenas.* À Paris, cet avertissement public ne fut suivi que d'un effet minime. La plupart des Américains et Canadiens que j'y rencontrai déclarèrent ne pas être au courant de l'affaire. Toutefois, quelques mois plus tard (entre décembre 2004 et janvier 2005), un autre coptisant américain, assez fortement engagé dans les recherches et publications de gnoséologie, Charles Hedrick, envoya à mon collaborateur principal, Gregor Wurst, et à moi-même, la transcription et la traduction des fragments inférieurs et principaux des pages 40 et 54-62 du codex. Il se permit simultanément de publier les mêmes passages sur Internet. Il n'avouait pas de quel original, et quand, il avait pu tirer ces copies (concordant à quelques détails près avec l'original à présent détenu par Maecenas), mais les documents qu'il publiait là étaient parfaitement explicites ; on pouvait y lire, dans l'angle supérieur droit des pages, la mention suivante, écrite de la main d'Hedrick lui-même : *Transcription/translation... 9 sept. 2001, Charles Hedrick, photographs Bruce Ferrini*. Ce qui prouve d'une part que l'antiquaire américain avait failli à ses engagements de février 2001 envers Frieda Tchacos Nussberger (il ne lui avait pas livré toutes les photos de l'Évangile de Judas en sa possession) ; et que d'autre part, quelques mois auparavant, contrairement à la prudence papyrolo-gique, Ferrini, aidé par un photographe, avait entrou-vert (ou toléré l'« entrouverture ») du codex en diffé-rents endroits considérés comme « stratégiques », pour y photographier dix « bonnes pages », quitte à accélérer (évidemment) sa fragmentation. Hedrick vendit également à Maecenas, pour 750 dollars environ, la copie de cent quatre-vingt-dix-huit photos (pour la plupart de très mauvaise qualité, il le reconnaissait) de pages appartenant au codex ; copies de copies, les originaux appartenant à une autre personne, qu'il ne nomma pas (on penserait volontiers à Ferrini). Rares furent les clichés dont on put tirer un complément de lecture significatif. Cependant, l'existence même de ces quelque deux cents photos, presque toutes d'amateur, était éloquente ; elle confirmait l'acharnement maladroit avec lequel le photographe brouillon avait cherché à percer les secrets de ce codex si convoité. Ainsi, quels qu'aient été les motifs psychologiques de cette précipitation néfaste et de la documentation bâtarde qu'elle avait engendrée, motifs manifestement injustifiés (« l'esprit est bien disposé mais la chair est faible [8] »), on ne pouvait plus, alors, raisonnablement, craindre encore la disparition subite et totale du codex, passé de main en main avant d'être vendu par Frieda Nussberger à Ferrini depuis une année. Aussi aucun de ceux qui, aujourd'hui (ou demain, après-demain), peinent (ou peineront) à identifier et replacer en son lieu précis et correct telle de ces miettes minuscules de papyrus, aucun de ces chercheurs acharnés à reconquérir un peu du texte inconnu et jusqu'ici sacrifié, ne pourra se défaire d'un sentiment de frustration et d'agacement (euphémisme !). Combien d'heures perdues, gaspillées, à réparer (plus souvent, tenter de réparer) un dommage qui n'aurait jamais dû se produire : conséquences absurdes d'un égarement coûteux.

POINT D'ORGUE

Comment conclure autrement que par un soupir ? Le texte de l'Évangile de Judas présenté dans cette édition, quoique encore sensiblement incomplet, offre à qui s'intéresse à cette œuvre apocryphe, mais authentique − là est l'apex de son originalité, de sa valeur −, un espace de prospection et de méditation très vaste et cohérent, et ce quelles qu'aient été les pertes textuelles consécutives aux mauvais traitements subis par le Codex Tchacos. Protégé toutefois, ultérieurement, par un destin redevenu favorable, il a survécu, globalement, à l'accumulation des dangers mortels auxquels il a été exposé. De contre-miracle typique, objet condamné, exécré, voué à l'anéantissement, il est devenu miracle en quelque sorte, exemplaire à son tour, et Dieu soit loué ; « miracle » et résurrection dus à l'ingéniosité et au dévouement des restaurateurs et papyrologues accourus tardivement − onzième heure − à son secours. Motif l'emportant sur tout autre, d'être reconnaissant, en conclusion, à ce souffle venu d'ailleurs, qui, par une manière d'écologie, a fait triompher l'espoir sur le désespoir, la ténacité sur le découragement, la prospection respectueuse et clairvoyante sur l'exploitation avide et sauvage. De quoi abolir l'exclamation initiale, car c'est bien ainsi qu'aujourd'hui, par la patience à petits pas et la fine oreille du bon sens, on aura pu en arriver là.

LE CHRISTIANISME MIS SENS DESSUS DESSOUS : L'ÉVANGILE DE JUDAS, UNE AUTRE VISION

Ce n'est pas tous les jours qu'une découverte biblique bouleverse à la fois le monde des exégètes et celui des profanes, et fait la une des journaux à travers l'Europe et l'Amérique. La dernière fois que pareil événement est survenu remonte à plus d'une génération. Les manuscrits de la mer Morte ont été découverts en 1947, et pourtant, aujourd'hui encore, ils continuent à être évoqués dans l'actualité et à figurer en bonne place dans notre imaginaire collectif. Pour prendre un exemple flagrant, ils tiennent un rôle important dans *Da Vinci Code*, le roman à succès de Dan Brown. En fait, ce que dit Brown à propos des manuscrits de la mer Morte est erroné :

ces manuscrits ne contiennent pas le moindre évangile, ni d'ailleurs aucune référence au christianisme primitif ou à son fondateur. Ce sont des livres juifs, et ils sont de grande portée car ils ont révolutionné notre approche de ce que pouvait être le judaïsme durant ses années de formation, qui coïncident avec celles ayant marqué les commencements du christianisme.

Encore plus présents dans le roman de Dan Brown sont les documents découverts tout juste dix-huit mois avant les manuscrits de la mer Morte, des textes où Jésus est bel et bien mentionné et qui concernent directement notre appréhension du christianisme primitif. Il s'agit des écrits gnostiques découverts en décembre 1945 dans les environs de la ville égyptienne de Nag Hammadi, par un groupe d'ouvriers agricoles illettrés qui creusaient la terre pour trouver de l'engrais. Cachés dans une jarre enfouie près d'un bloc de pierre au pied d'une paroi rocheuse, ces écrits comportaient des évangiles inconnus jusqu'alors – de véritables livres où étaient apparemment consignés les enseignements de Jésus lui-même, en des termes très différents de ceux du Nouveau Testament. Certains de ces évangiles sont anonymes, et l'un d'entre eux s'appelle l'Évangile de Vérité. D'autres ont été censément écrits par les plus proches compagnons de Jésus, ainsi l'Évangile de Philippe et, plus notablement, l'Évangile selon

Thomas, qui consiste en cent quatorze paroles de Jésus, dont bon nombre étaient jusqu'alors inconnues.

L'Évangile selon Thomas constitue peut-être bien la plus extraordinaire découverte sur l'Antiquité chrétienne opérée dans l'époque moderne. Mais voilà qu'un autre évangile vient de ressurgir, qui rivalise, par son caractère intrigant, avec celui de Thomas. Il met lui aussi en scène un intime parmi les intimes de Jésus, et il contient des enseignements fort éloignés de ceux qui allaient composer le canon des écrits du Nouveau Testament. Dans ce cas, toutefois, il n'est pas question d'un disciple connu pour sa dévotion sans bornes à Jésus. Bien au contraire, il s'agit de celui qui est réputé être son ennemi mortel et son traître ultime, Judas l'Iscariote.

Pendant des siècles, des rumeurs ont couru sur cet évangile – existait-il seulement ? – et, jusqu'à une date récente, nous ignorions ce qu'il renfermait. Sa réapparition va le ranger parmi les grandes trouvailles touchant l'Antiquité chrétienne, et c'est sans doute la plus importante découverte archéologique des soixante dernières années.

Les divers écrits exhumés depuis ceux de Nag Hammadi en 1945 ont intéressé presque exclusivement les spécialistes désireux d'en savoir plus sur les débuts du christianisme. Mais l'Évangile de Judas va fasciner aussi bien les non-spécialistes, car il est centré sur une figure notoire, passablement calomniée, qui a nourri bien des spéculations. Au fil du temps, de très nombreuses questions ont circulé à propos de Judas, que ce soit parmi les exégètes ou dans l'imagination populaire : en témoignent le triomphe à Broadway de la comédie musicale *Jésus-Christ superstar* et le film *La Dernière Tentation du Christ.*

Ce qui va rendre fameux – ou infâme, peut-être – cet évangile récemment découvert est qu'on y trouve un portrait de Judas s'écartant complètement de tout ce qu'on savait de lui auparavant. Ici, il n'est pas le mauvais compagnon de Jésus, celui qui, corrompu et inspiré par le diable, a trahi son maître en le livrant à ses ennemis. Au contraire il est l'intime de Jésus, son plus proche ami, celui qui l'a compris mieux que quiconque et qui l'a dénoncé aux autorités – parce que Jésus *voulait* qu'il le fasse. En livrant Jésus, Judas a rendu le plus grand service qu'on puisse concevoir. Car Jésus voulait échapper à ce monde matériel hostile à Dieu, et regagner sa demeure céleste.

Cet évangile propose une intelligence de Dieu, du monde, du Christ, du salut, de l'existence humaine – pour ne pas mentionner Judas lui-même – tout autre que celle qui s'est incarnée dans les symboles et le canon chrétiens. Ainsi des perspectives vont s'ouvrir, favorisant une nouvelle compréhension de Jésus et du mouvement religieux qu'il a fondé.

Ce qu'on savait auparavant de l'Évangile de Judas

De nos jours, la plupart d'entre nous connaissent quatre et seulement quatre récits de la vie et de la mort de Jésus – ceux de Matthieu, de Marc, de Luc et de Jean, les quatre Évangiles du Nouveau Testament. Toutefois, il est désormais largement reconnu, même en dehors des milieux lettrés, qu'un grand nombre d'évangiles ont été écrits durant les tout premiers siècles de l'Église chrétienne. La majorité d'entre eux ont été ultérieurement détruits en raison de leur caractère hérétique – parce qu'ils enseignaient les « idées incorrectes » –, ou encore perdus au cours de l'Antiquité par manque général d'intérêt. Toujours est-il qu'aujourd'hui l'intérêt est loin d'être épuisé. Trouver ces évangiles et s'instruire de leur contenu est devenu l'obsession de quantité de chercheurs.

Nous ne connaissons pas le nombre exact d'évangiles écrits au cours des deux cents premières années du christianisme. Les quatre du Nouveau Testament sont les plus anciens à avoir subsisté. Mais beaucoup d'autres ont suivi – dont ceux de Thomas et de Philippe que j'ai déjà mentionnés, l'Évangile de Marie (Marie Madeleine) qui, découvert en 1896, a récemment suscité un vif intérêt, et, aujourd'hui, l'Évangile de Judas.

Nous n'avons pas de certitude quant à sa date de rédaction. La copie en notre possession semble dater de la fin du IIIe siècle, autour de l'an 280 (deux cent cinquante ans après la mort de Jésus). Mais cela ne nous renseigne pas sur la date de composition de l'original. Dans le cas de l'Évangile de Marc, par exemple, nous ne disposons d'aucune copie antérieure à la fin du IIIe siècle, mais celui qui fut très probablement le premier évangile canonique rédigé a sans doute été composé entre 65 et 70. Les copies préexistantes ont toutes été perdues, irrémédiablement détériorées, ou simplement détruites. Il en est allé de même pour les copies préexistantes de l'Évangile de Judas.

Nous pensons qu'il doit avoir été rédigé plus de cent ans avant que soit produite cette copie nous parvenant du IIIe ou IVe siècle, car il a été la cible de l'un des grand auteurs de l'Église primitive chrétienne : Irénée, l'évêque de Lugdunum, en Gaule (le Lyon de la France moderne), qui écrivait aux alentours de l'an 180. Parmi les hérésiologues (ou chasseurs d'hérésies) de l'Antiquité chrétienne, Irénée est l'un des plus anciens et des mieux connus. Il a écrit un traité en cinq volumes par lequel il combattait les « hérétiques » (ceux qui s'attachaient à des doctrines fallacieuses) et avançait le point de vue qu'il considérait comme « orthodoxe » (correspondant, selon l'étymologie de ce mot, à une croyance juste). Il y désignait nombre de groupes hérétiques, contestait leurs vues, attaquait leurs écrits. L'un de ces écrits fallacieux était un Évangile de Judas.

Les hérétiques qu'il jugeait les plus dangereux pour l'orthodoxie chrétienne étaient les gnostiques. Si nous voulons saisir le propos d'Irénée sur l'Évangile de Judas en particulier, nous devons comprendre d'abord quelles croyances sous-tendaient les religions gnostiques, et ensuite pourquoi l'une de ces religions a salué en Judas un grand héros de la foi plutôt que l'ennemi du Christ.

LES RELIGIONS GNOSTIQUES

Avant la découverte des écrits gnostiques de Nag Hammadi en 1945, Irénée constituait l'une de nos principales sources d'information sur les divers groupes gnostiques du IIᵉ siècle. Depuis, les spécialistes se sont disputés pour savoir s'il connaissait bien le sujet qu'il traitait, ou encore s'il présentait les vues de ses adversaires en toute impartialité. Cela parce que la conception religieuse révélée par les documents de Nag Hammadi diffère en certains points cruciaux des descriptions infamantes d'Irénée. Mais si nous faisons une lecture judicieuse de son ouvrage, et accordons plein crédit aux relations de première main contenues dans les écrits de Nag Hammadi – lesquels, après tout, furent rédigés *par et pour* des gnostiques –, il nous est possible d'obtenir une bonne vue d'ensemble des conceptions embrassées par les divers courants gnostiques.

Précisons d'emblée qu'il existait à cette époque un nombre important de sectes gnostiques et qu'elles différaient les unes des autres à bien des égards, petits et grands. Telle était leur variété que certains spécialistes ont soutenu que nous ne devrions même plus utiliser le mot « gnosticisme », terme fourre-tout insuffisant pour couvrir toute la diversité religieuse qu'on trouve parmi les prétendues composantes dudit gnosticisme.

J'estime pour ma part que c'est aller là trop loin et qu'il est parfaitement légitime de parler de gnosticisme, tout comme il est légitime de parler de judaïsme ou de christianisme, nonobstant les énormes différences entre les formes de judaïsme ou de christianisme qui existent dans le monde d'aujourd'hui, sans même évoquer l'Antiquité. Pour ce qui touche au gnosticisme spécifique de l'Évangile de Judas, je puis renvoyer le lecteur à l'excellent texte de Marvin Meyer (p. 161-194), qui éclaire l'Évangile en le reliant à la secte dite des gnostiques séthiens. Mais il me revient de brosser à gros traits ce que les diverses sectes gnostiques, de plus ou moins grande envergure, avaient en commun, et pourquoi des auteurs orthodoxes comme Irénée les jugeaient si menaçantes.

Le terme *gnosticisme* vient du mot grec *gnôsis*, qui signifie connaissance. Les gnostiques sont « ceux qui savent ». Et que savent-ils donc ? Ils savent des secrets susceptibles d'apporter le salut. Pour les gnostiques, une personne n'est pas sauvée parce qu'elle a foi dans le Christ ou qu'elle accomplit de bonnes œuvres, non, une personne est sauvée parce qu'elle connaît la vérité — la vérité sur le monde où nous vivons, sur l'identité du vrai Dieu, et surtout sur notre propre identité. En d'autres termes, il s'agit pour une grande part de connaissance de soi : la connaissance d'où nous venons, des circonstances de notre arrivée ici, et de la façon dont nous pouvons regagner notre demeure céleste. Selon la plupart des gnostiques, ce monde matériel *n'est pas* notre demeure. Nous y sommes piégés, dans des corps de chair, et nous devons apprendre les moyens de nous en évader. Pour les gnostiques qui étaient également chrétiens (mais beaucoup ne l'étaient pas), c'est le Christ lui-même qui apporte d'en haut ce savoir secret. Il révèle la vérité à ses compagnons intimes, et c'est cette vérité qui peut les délivrer.

Le christianisme traditionnel a enseigné que notre monde est la création bonne du seul vrai Dieu. Mais tel n'était pas le point de vue des gnostiques. Selon un nombre notable de leurs groupes, le dieu qui a créé ce monde n'est pas le seul dieu, il n'est même pas le dieu le plus puissant ou omniscient. C'est une déité bien moindre, subalterne, et souvent ignorante. À bien considérer ce monde, comment peut-on le dire bon ? Les gnostiques ont vu les calamités qui les entouraient – tremblements de terre, ouragans, inondations, famines, sécheresses, épidémies, malheur, souffrance – et ils ont décrété que le monde n'était pas bon. Mais, ajoutaient-ils, on ne peut en blâmer Dieu ! Non, ce monde est une calamité cosmique, et le salut vient seulement à ceux qui apprennent à s'évader de ce monde et de ses oripeaux matériels.

Certains penseurs gnostiques ont expliqué ce mauvais monde matériel en élaborant des mythes de création relativement complexes. L'être divin ultime y est complètement retranché du monde – il est esprit, absolument, sans aucun aspect ou attribut matériel. Cet être divin a engendré une nombreuse progéniture composée de ce qu'on appelle les éons, lesquels, comme lui, sont des entités spirituelles. À l'origine, ce royaume divin, habité par Dieu et ses éons, était tout ce qui existait. Mais une catastrophe cosmique s'est produite, au cours de laquelle un de ces éons, d'une façon ou d'une autre, a chu du royaume divin, amenant la création d'autres êtres divins qui, sont ainsi venus à exister en dehors de la sphère divine. Et ce sont ces êtres divins de qualité moindre qui ont créé notre monde matériel. Ils en ont fait un piège destiné à tenir en captivité les étincelles divines qu'ils avaient capturées, avec comme dessein de les placer à l'intérieur de corps humains.

Pour le dire autrement, certains humains possèdent une parcelle divine en eux, en leur cœur. Leurs âmes ne sont pas mortelles, mais immortelles, temporairement emprisonnées dans ce royaume de matière, capricieux et misérable, dont elles doivent s'évader pour regagner le royaume divin d'où elles sont venues.

Les mythes développés par ces divers groupes gnostiques diffèrent grandement les uns des autres en de nombreux détails. Et détaillés, ces mythes le sont. Ils peuvent fortement déconcerter le lecteur actuel, pourtant leur sens prépondérant est clair : ce monde n'est pas la création du seul vrai Dieu. Le dieu qui a fait ce monde – le Dieu de l'Ancien Testament – est une déité secondaire, subalterne, et non le Dieu au-dessus de tout qu'on doit vénérer. On doit plutôt l'éviter, et, pour cela, apprendre la vérité sur l'ultime royaume divin, sur ce mauvais monde matériel, sur notre séjour forcé ici, sur la manière dont nous pouvons nous évader.

À ce stade, il importe de préciser que tout un chacun n'a pas les moyens de s'évader. Parce que seuls certains d'entre nous sont porteurs d'une étincelle divine. Les autres sont les créations du dieu inférieur de ce monde. Comme d'autres créatures ici-bas (les chiens, les tortues, les moustiques, etc.), ils vont mourir, et là finira leur histoire. Mais certains parmi nous sont des divinités piégées, qui doivent apprendre à regagner leur demeure céleste.

Comment apprendre la connaissance secrète nécessaire à notre salut ? Évidemment pas en regardant le monde alentour, ni en l'inventant par nous-mêmes. S'instruire de ce monde n'apporte rien de plus que la connaissance de la création matérielle d'une déité subalterne qui n'est pas le vrai Dieu. Il nous faut une révélation qui nous soit accordée d'en haut. Un émissaire du royaume spirituel doit venir nous dévoiler la vérité sur notre origine, notre destination et nos moyens d'évasion. Dans les religions gnostiques chrétiennes, cet émissaire est le Christ. Selon cette conception, le Christ n'était pas un simple mortel délivrant de sages enseignements religieux. Pas plus qu'il n'était le fils du dieu créateur, le Dieu de l'Ancien Testament.

Certains gnostiques enseignaient que le Christ n'était pas un homme de chair et de sang, né dans ce monde du créateur, mais un éon venu du royaume d'en haut *sous les dehors* de la chair humaine. Il était un fantasme (ou un fantôme, voir la note 1, p. 29) qui avait pris une apparence charnelle pour enseigner à ceux qui étaient appelés (les gnostiques qui avaient en eux l'étincelle) les vérités secrètes nécessaires à leur salut.

D'autres gnostiques enseignaient que Jésus était un homme réel, mais qu'il ne portait pas en lui l'étincelle spécifique du divin. Son âme était un être divin particulier venu d'en haut pour être temporairement hébergé en l'homme Jésus, pour se servir de lui comme d'un passage par lequel révéler à ses proches les vérités nécessaires. Selon cette conception, l'élément divin est venu en Jésus à un certain moment de sa vie – par exemple lors de son baptême, quand l'Esprit descendit sur lui –, puis l'a quitté une fois son ministère achevé. Cela expliquerait pourquoi, sur la croix, Jésus s'est écrié : « Mon Dieu, mon Dieu, pourquoi m'as-tu abandonné ? » Parce que l'élément divin en lui l'avait quitté avant sa crucifixion – car, après tout, le divin ne peut souffrir et mourir.

Les chasseurs d'hérésies comme Irénée jugeaient les gnostiques comme des ennemis particulièrement insidieux et difficilement attaquables. Comment raisonner avec un gnostique et lui démontrer ses errements ? Il avait une connaissance secrète et vous non ! Si vous lui disiez qu'il avait tort, il pouvait hausser les épaules et répliquer que vous ne saviez pas, tout simplement ! Ainsi, Irénée et d'autres comme lui devaient faire assaut sans relâche, s'efforcer de convaincre au moins d'autres chrétiens que les gnostiques ne détenaient pas la vérité, mais qu'ils l'avaient bel et bien pervertie en rejetant le Dieu de l'Ancien Testament et sa création, et en niant que le Christ avait réellement été un être humain de chair et de sang, dont la mort et la résurrection (non pas ses enseignements secrets) avaient apporté le salut. Les cinq volumes de réfutation des gnostiques par Irénée ont jeté l'opprobre sur leurs croyances, qualifiées de désespérément contradictoires, ridiculement détaillées, et contraires aux enseignements des apôtres mêmes de Jésus. Irénée se référait parfois à certains écrits gnostiques pour les tourner en dérision, faire ressortir leurs différences avec les Écritures sacrées acceptées par l'Église dans son ensemble. L'un de ces écrits ainsi raillés fut l'Évangile de Judas.

LES GNOSTIQUES CAÏNITES ET L'ÉVANGILE DE JUDAS

Parmi les nombreux groupes gnostiques passés en revue dans *Contre les hérésies*, Irénée nomme l'un d'eux : les caïnites. En fait, nous ne savons pas si un tel groupe a réellement existé ou si Irénée a simplement inventé ce nom – leur existence n'est indiquée dans aucune source indépendante. Cependant, Irénée déclare à leur sujet qu'ils justifiaient leurs croyances aberrantes en invoquant l'Évangile de Judas.

Ce groupe tirait son nom de Caïn, le premier fils d'Adam et Ève. Caïn est connu dans les annales de l'histoire biblique pour être le premier fratricide. Il jalousait son cadet, Abel, particulièrement aimé de Dieu, et c'est pourquoi il l'assassina (Genèse, 4). Pourquoi les caïnites l'auraient-ils choisi, lui entre tous, comme héros de leur foi ? Parce qu'ils croyaient que le Dieu de l'Ancien Testament n'était pas le vrai Dieu à vénérer, mais l'ignorant créateur de ce monde auquel il fallait échapper. Suivant ce raisonnement, tous les personnages de l'histoire judéo-chrétienne qui avaient tenu tête à Dieu – Caïn, les habitants de Sodome et de Gomorrhe, et plus tard Judas l'Iscariote – étaient ceux qui avaient vu la vérité et compris les secrets nécessaires au salut.

Selon Irénée, les caïnites poussèrent leur opposition au Dieu de l'Ancien Testament jusqu'à adopter des positions extrêmes. Tout ce que Dieu commandait, ils s'y opposaient, et tout ce à quoi Dieu s'opposait, ils le prônaient. Si Dieu recommandait d'observer le sabbat, de ne pas manger de porc et de ne pas commettre l'adultère – eh bien la façon de montrer sa liberté à l'égard de Dieu était d'ignorer le sabbat, de consommer du porc et de s'adonner à l'adultère !

Il n'est pas surprenant d'apprendre qu'un groupe gnostique s'affirmant aussi à contre-courant de la doxa chrétienne allait naturellement voir dans le prétendu ennemi de Jésus son plus grand allié. Selon Irénée, les caïnites se réclamaient de l'Évangile de Judas. Seul Judas parmi les disciples comprit le message de Jésus et accomplit ce qu'il voulait : être livré aux autorités pour être crucifié. Judas fut donc considéré comme l'ultime compagnon de Jésus, dont les actions devaient être imitées plutôt que méprisées. Car il était celui auquel Jésus avait délivré la secrète connaissance nécessaire au salut.

L'Évangile de Judas publié ici est presque certainement celui que mentionne Irénée aux alentours de l'an 180. Les spécialistes vont diverger sur la date de composition de l'original, mais la plupart la situeront probablement entre 140 et 160. Il fut écrit en un temps où les religions gnostiques commençaient à prospérer dans l'Église chrétienne, et il circulait déjà depuis quelques années avant qu'Irénée n'engage son assaut contre elles. Qu'il s'agisse de l'évangile connu par Irénée est confirmé par son contenu. Car Judas y est le seul disciple qui comprend qui est réellement Jésus, et il est aussi le seul auquel Jésus transmet sa révélation secrète. Les autres disciples vénèrent le Dieu de l'Ancien Testament – chacun d'eux est donc un « ministre de l'égarement ». Parce que Judas sait la vérité, il rend ce suprême service à Jésus : le livrer pour qu'il soit exécuté, afin que l'être divin en Jésus soit capable d'échapper aux oripeaux de son corps matériel. Ou, comme Jésus le dit si puissamment dans cet Évangile : « Mais toi, tu les surpasseras tous ! Car tu sacrifieras l'homme qui me sert d'enveloppe charnelle ! »

Qu'est-ce qui caractérise le portrait de Judas dans cet Évangile ? En quoi la teneur religieuse de celui-ci l'écarte-elle des vues « orthodoxes » qui vinrent à être embrassées par une majorité de chrétiens ? Et pourquoi fut-il plus tard, en compagnie d'ouvrages semblables, exclu du canon de l'Écriture chrétienne ?

PORTRAIT DE JUDAS DANS L'ÉVANGILE

Il existe plusieurs personnes nommées Judas dans le Nouveau Testament – tout comme il existe plusieurs Marie, plusieurs Hérode et plusieurs Jacques. La quantité d'homonymes – les membres des classes inférieures ne portaient quant à eux jamais de patronyme – exigeait de bien distinguer ces diverses personnes d'une manière ou d'une autre. En général, en indiquant leur lieu d'origine ou leur parenté. Ainsi, les différentes Marie sont appelées Marie la mère de Jésus, Marie de Béthanie, Marie Madeleine, etc. Parmi les Judas – ou Jude, comme ce nom est parfois traduit –, l'un d'eux était un vrai frère de Jésus (Matthieu 13, 55), un deuxième, un disciple, Jude fils de Jacques (Luc 6, 16), et un troisième un disciple également, Judas l'Iscariote. Les exégètes ont longtemps débattu le sens du nom « Iscariote », et personne n'a de certitude à ce propos. On peut y voir une référence au lieu de naissance de Judas, un village de Judée (la partie sud de l'actuel état d'Israël) appelé Kerioth, et « Ish-Kerioth », ou Iscariote, signifierait donc « homme de Kerioth ». En tout cas, chaque fois que j'évoque Judas dans ces pages, c'est celui-là, Judas l'Iscariote.

Judas dans les Évangiles du Nouveau Testament

Dans l'Évangile de Judas, la trahison de Judas n'est pas dépeinte comme un acte ignominieux. Dans les Évangiles du Nouveau Testament, elle constitue son signe particulier. Parmi les douze disciples, il est la pomme gâtée. Judas est mentionné quelque vingt fois dans ces livres, et à chaque occurrence les évangélistes marquent de l'hostilité à son égard, généralement par une simple remarque signalant qu'il fut celui qui trahit Jésus. Tous affirment que ce fut un acte très vil.

Au fil du temps, les lecteurs du Nouveau Testament se sont interrogés : si Jésus devait mourir sur la croix pour le salut du monde, Judas n'accomplissait-il donc pas une *bonne* action en le livrant ? Sans la trahison, il n'y aurait pas eu d'arrestation ; sans l'arrestation, il n'y aurait pas eu de procès ; sans le procès, il n'y aurait pas eu de crucifixion ; sans la crucifixion, il n'y aurait pas eu de résurrection – en bref, nous ne serions *toujours pas* sauvés de nos péchés.

Dès lors, pourquoi les actions de Judas étaient-elles si mauvaises ?

Nos évangélistes ne spéculent jamais sur cette question. Ils se bornent à affirmer que Judas a trahi la cause et son maître, et que même s'il en est sorti du bien son acte a été un crime odieux : « Il vaudrait mieux pour lui qu'il ne soit pas né, cet homme-là ! » (Marc 14, 21).

Les récits évangéliques fournissent diverses explications du ou des motifs de la trahison de Jésus par Judas. Dans le premier de nos Évangiles, celui de Marc, nous n'avons aucune explication de l'acte incriminé : Judas se rend auprès des chefs juifs, il se porte volontaire pour trahir Jésus, et les notables conviennent de lui donner de l'argent en retour (Marc 14, 10-11). Il se peut que Judas ait voulu l'argent, mais Marc ne dit pas que tel fut son mobile. L'Évangile de Matthieu, écrit quelques années après celui de Marc, est plus explicite : dans cette version, Judas approche les chefs juifs pour voir combien il peut tirer de son acte de trahison ; les notables lui comptent trente pièces d'argent et il tient son engagement. Ici Judas veut simplement l'argent comptant (Matthieu 26, 14-16). L'Évangile de Luc a été écrit à peu près dans le même temps que celui de Matthieu, et un nouveau facteur entre alors en jeu. Selon Luc, Satan – l'ultime ennemi de Dieu – entre en Judas et le pousse à commettre son forfait (Luc 22, 3). Dans ce récit, Judas pourrait dire : « C'est le Diable qui m'a fait faire ça. » Le dernier Évangile est celui de Jean, et nous y apprenons que Jésus avait toujours su que « l'un de vous [un des disciples] est un diable ! » (Jean 6, 70). De surcroît, on nous dit plus loin que Judas s'était vu confier la bourse du groupe (Jean 12, 4-6) et qu'il avait coutume d'y puiser pour ses propres besoins. Ainsi, d'après cet évangile, Judas est animé à la fois par sa nature diabolique et par la cupidité.

Qu'est-ce, exactement, que Judas est allé trahir auprès des autorités ? Sur ce point, les Évangiles du Nouveau Testament semblent s'accorder. Jésus et ses disciples étaient venus de la région nord-est du pays à la capitale, Jérusalem, afin d'y célébrer la Pâque annuelle. Dans la Jérusalem de l'époque, cela constituait un événement, car durant les festivités la ville voyait sa population multipliée par les pèlerins venus du monde entier pour vénérer Dieu et commémorer l'acte de salut qu'il avait accompli, plusieurs siècles auparavant, en sauvant finalement de la mort les enfants des Israélites et favorisé leur sortie d'Égypte. L'afflux de foules immenses faisait toujours redouter des accès d'enthousiasme religieux pouvant culminer dans un pic de fièvre propice à des émeutes. Les autorités craignaient particulièrement que Jésus ne fût un agitateur, et voulurent procéder à son arrestation à l'écart des foules, en douceur, afin de pouvoir se débarrasser de lui sans susciter de troubles majeurs. Judas fut celui qui leur indiqua la marche à suivre. Il les mena à Jésus en pleine nuit, alors que celui-ci se trouvait juste avec ses disciples, en train de prier. Les autorités arrêtèrent Jésus en secret, l'amenèrent devant un tribunal irrégulier, puis le firent crucifier avant qu'un mouvement de résistance réelle eût pu s'organiser.

Ce qu'il advint ensuite de Judas n'est raconté que par deux évangélistes. D'après la version la plus connue, celle de l'Évangile de Matthieu, Judas, empli de remords, rendit les trente pièces d'argent aux grands prêtres juifs et alla se pendre. Mais les grands prêtres prirent alors conscience de l'impossibilité de remettre cet argent dans les caisses du Temple, puisque son utilisation avait mené, par voie de trahison, à répandre un sang innocent. Aussi firent-ils l'acquisition d'une terre destinée à l'enterrement des étrangers, qu'on appelait le champ du potier – peut-être parce qu'elle contenait de l'argile rouge dont les potiers de la ville faisaient grand usage. L'endroit fut alors appelé « Champ du sang » parce qu'il avait été acquis au « prix du sang » (Matthieu 27, 6-8).

Marc et Jean ne disent rien de la mort de Judas ; pas plus que l'Évangile de Luc. Mais le livre des Actes – écrits par l'auteur de Luc, comme une sorte de suite à son évangile – nous offre une autre version de la mort de Judas, évoquant elle aussi une terre dans Jérusalem. Dans ce cas, cependant, Judas en est le propriétaire et y meurt. Mais pas par pendaison. Non, il éclate en son milieu (son ventre se déchire) et ses tripes et boyaux se répandent à terre, où se forme un amas sanguinolent. C'est pour *cette raison-là* que l'endroit s'appelle « Terre de sang » (Actes 1, 15-19). Il ne s'agit pas d'un suicide, comme dans Matthieu, mais d'un acte de Dieu, menant Judas à une fin sanglante en juste rétribution de son forfait.

Tous ces récits contrastent fortement avec l'Évangile de Judas. Dans celui-ci, l'acte de Judas n'est pas mauvais. Au contraire, il accomplit la volonté de Dieu, comme Jésus lui-même le lui explique par des révélations secrètes. Judas rend possible la mort physique de Jésus et permet à son étincelle divine d'échapper aux oripeaux matériels de son corps pour regagner sa demeure céleste. Judas incarne ainsi le héros, et non plus le méchant.

Judas dans l'Évangile de Judas

Dès les premiers mots de cet évangile récemment découvert, il est clair que le portrait de Judas n'aura rien de semblable à ceux trouvés dans le Nouveau Testament, et que le récit qui s'ensuit décrira son acte d'un point de vue gnostique. Au tout début du texte, il est écrit qu'il s'agit du « compte rendu secret de la révélation faite par Jésus en dialoguant avec Judas l'Iscariote ». D'emblée, donc, on nous dit que ce compte rendu, « secret », n'est pas destiné à tout le monde, mais uniquement à ceux qui savent, à savoir les « gnostiques ». Le récit rapporte une révélation faite par Jésus, l'émissaire divin qui seul peut révéler la vérité nécessaire au salut. Et à qui la révèle-t-il ? Non pas aux foules qui affluent pour entendre ses enseignements, pas même aux douze disciples qu'il a appelés auprès de lui. Il révèle le secret à un seul, Judas l'Iscariote, son compagnon le plus intime, et le seul dans cet évangile qui comprend la vérité vraie de Jésus.

Judas apparaît ensuite lorsque Jésus défie les douze disciples de montrer s'ils ont en eux l'« homme parfait » (apte au salut), et de venir se tenir devant lui. Les disciples prétendent tous en avoir la force, mais seul Judas y parvient – sans toutefois pouvoir regarder Jésus en face. Cela signifie que Judas porte en lui l'étincelle du divin, de sorte qu'il se trouve pour ainsi dire sur un pied d'égalité avec Jésus, mais, comme il n'est pas encore parvenu à comprendre la vérité secrète que Jésus est sur le point de révéler, il est amené à détourner les yeux. Mais Judas connaît bel et bien la véritable identité de Jésus – à laquelle les autres sont complètement aveugles –, car il proclame que Jésus n'est pas un simple mortel de ce monde. Il vient du monde divin d'en haut : « Tu es issu de l'éon immortel de Barbèlô », dit-il. Comme Marvin Meyer l'explique dans son texte (p. 166), Barbèlô, selon les gnostiques séthiens, est l'un des êtres divins primordiaux dans le royaume parfait du vrai Dieu. Jésus vient de ce royaume, et non de ce monde créé par une déité secondaire, subalterne.

Parce que Judas l'a perçu avec une telle acuité, Jésus le prend à part, loin des autres, des ignorants, pour lui enseigner « les mystères du Royaume ». Judas seul recevra la connaissance secrète qui lui permettra d'atteindre le salut. Et Jésus l'informe qu'il y parviendra — même s'il devra souffrir pendant le processus. Il souffrira car il sera rejeté par « les douze », qui en éliront un autre à sa place. On peut y voir une référence au livre des Actes du Nouveau Testament, lorsque, après la mort de Judas, les onze disciples le remplacent par Matthias de façon à rester au nombre de douze (Actes 1, 16-26). Dans l'Évangile de Judas, il s'agit là d'une bonne chose — non pour les douze, mais pour Judas. Il est celui qui peut atteindre le salut, tandis que les autres apôtres continuent de se préoccuper de « leur Dieu », à savoir le dieu créateur de l'Ancien Testament, que Jésus et Judas sont à même de transcender.

Ce thème réapparaît plus loin dans le texte, lorsque Judas relate à Jésus une « grande vision » qu'il a eue et dont il a été troublé. Il a vu les douze disciples (à l'évidence les onze autres et celui qui devait le remplacer) en train de le lapider à mort. Puis il a vu une belle maison entourée de « gens nobles » dans laquelle il veut entrer – car elle représente le divin royaume où les esprits immortels résident en parfaite harmonie. Jésus l'informe qu'aucun être issu de mortels ne peut y avoir accès : « c'est un lieu réservé aux saints ». Ce qui veut dire, comme nous l'apprendrons plus loin dans le texte, que tous ceux qui – comme Judas – portent en eux une étincelle divine obtiendront le droit d'accès à la maison une fois délivrés de leur chair mortelle.

En d'autres termes, la mort imminente de Judas n'aura rien de tragique, même si la chose lui paraîtra douloureuse sur le moment. À sa mort, il deviendra le « treizième », c'est-à-dire qu'il sera en dehors du cercle des douze disciples et transcendera leur nombre. Lui seul sera capable d'entrer dans le divin royaume symbolisé par la maison de sa vision. Et ainsi il sera « maudit par les autres générations », par la race des mortels qui ne sont pas destinés au salut ultime. En même temps, il régnera « sur elles », car il sera de loin supérieur à tous en ce monde matériel une fois qu'il aura atteint son salut, fondé sur la connaissance secrète que Jésus est sur le point de révéler.

Une bonne partie de l'évangile sest consacré à la révélation secrète que Jésus fait à Judas. Elle concerne « un Royaume grand et illimité » – le royaume des êtres véritablement divins au-delà de ce monde et loin au-dessus des déités inférieures qui ont créé cette existence matérielle et ces humains. Cette révélation frappera bon nombre de lecteurs actuels par sa singulière complexité et la difficulté de compréhension qui peut en résulter. Mais sa teneur maîtresse est claire. Nombre d'êtres divins supérieurs sont venus à l'existence longtemps avant qu'apparaissent les dieux de ce monde. Parmi eux, il y a El (le mot hébreu désignant « Dieu » dans l'Ancien Testament), son assistant Nebrô, également appelé Ialdabaôth, qui est souillé de sang et dont le nom signifie « rebelle » ; et Saklas, mot qui veut dire « insensé ». Ainsi les déités en charge de ce monde sont le Dieu de l'Ancien Testament, un rebelle sanglant et un insensé. Voilà qui ne constitue pas une vibrante approbation de(s) créateur(s) du monde.

Saklas, l'insensé, est décrit comme celui qui crée les humains « selon l'image » [de lui-même ?], ce qui amène Judas à demander s'il est possible pour les humains de transcender la vie en ce monde. Comme nous le verrons ensuite, la réponse est un oui catégorique. Certains humains sont dépositaires d'une parcelle divine. Ils survivront pour transcender ce monde, pour accéder au royaume divin, loin au-dessus des dieux créateurs sanguinaires et insensés.

Judas lui-même est le premier d'entre eux. Le texte nous dit vers la fin que son vœu est exaucé : il pénètre la « nuée lumineuse » qui dans l'Évangile représente le monde du vrai Dieu et de ses éons. Comme chacun, Judas a une « étoile » pour le guider (voir le texte de Marvin Meyer, p. 161-194). Son étoile est supérieure à toutes les autres, « en tête de leur cortège ».

Ainsi Judas est-il amené à la juste compréhension de tout ce que Jésus lui a enseigné. Le salut ne vient point par la vénération du Dieu de ce monde ou par l'acceptation de sa création, mais pas la négation de ce monde et le rejet du corps qui nous y attache. C'est en cela que l'acte accompli par Judas pour Jésus constitue un acte juste, un acte qui lui confère le droit de faire et d'être plus que tous les autres. En livrant Jésus aux autorités, Judas lui permet d'échapper à sa chair mortelle et de regagner sa demeure éternelle. Nous avons déjà vu Jésus lui dire : « Mais toi, tu surpasseras tous les autres. Car tu sacrifieras l'homme qui me sert d'enveloppe charnelle. »

La scène de trahison elle-même est racontée en termes voilés, et elle diffère à maints égards des récits du Nouveau Testament. Ici Jésus n'est pas audehors, en train par exemple de prier dans le jardin de Gethsémani. Il est dans une « salle comune ». Comme dans les Évangiles canoniques, les notables juifs, ici appelés les « scribes », veulent arrêter Jésus dans un lieu privé « car ils craignaient le peuple qui le considérait comme un prophète ». Mais quand ils voient Judas, les voilà surpris : « Que fais-tu ici, toi, le disciple de Jésus ? » Ces notables n'entendent rien à la vérité, ils ne comprennent pas que servir véritablement Jésus consiste à le livrer aux autorités afin qu'il soit exécuté. Judas leur répond ce qu'ils veulent entendre, ils lui donnent en retour de l'argent pour son acte, et il leur livre Jésus. Là finit l'Évangile, sur ce qui, pour son auteur, était le point culminant du récit : non pas la mort et la résurrection de Jésus, mais l'acte de foi de son plus intime et fidèle compagnon, celui qui l'a mené jusqu'à la mort qui lui permet de regagner sa demeure céleste.

Singularité des perspectives théologiques de l'Évangile de Judas

Nous avons déjà noté certains des thèmes théologiques clés de cet évangile. Le créateur de ce monde n'est pas le seul et vrai Dieu ; ce monde est un lieu mauvais, d'où il faut s'évader ; le Christ n'est pas le fils du créateur ; le salut vient non par la mort et la résurrection de Jésus, mais par la révélation de la connaissance secrète qu'il prodigue. Ces thèmes sont diamétralement opposés aux conceptions théologiques qui devaient triompher lors des premiers débats entre chrétiens sur la croyance correcte qu'il convenait d'adopter – c'est-à-dire durant les guerres théologiques des IIe et IIIe siècles, lorsque différents groupes chrétiens soutenaient différents systèmes de croyance et différentes doctrines. Ils insistaient tous sur le fait que non seulement leurs vues étaient justes, mais aussi qu'elles étaient celles de Jésus et de ses compagnons les plus proches.

Ces débats nous sont depuis longtemps connus, mais l'Évangile de Judas éclaire tout particulièrement l'un des groupes qui devaient finir par perdre. Tous se réclamaient des livres sacrés ; tous affirmaient que leur vision émanait directement de Jésus, et, à travers lui, de Dieu. Mais seul un groupe l'emporta. Celui qui décida quels livres devaient être considérés comme canoniques, et qui écrivit les credo chrétiens qui nous sont parvenus. Incorporées dans ces credo, les déclarations théologiques claironnent le succès du parti « orthodoxe ». Il n'est que de considérer le début de l'un de ces plus fameux credo :

> Nous croyons en un Dieu unique, le Père, le tout-puissant,
> créateur du ciel et de la terre,
> de toutes les choses visibles et invisibles.

Cette affirmation contraste fortement avec les points de vues avancés dans l'Évangile de Judas, où il n'y a pas qu'un Dieu mais de nombreux dieux, et où le créateur de ce monde n'est pas le vrai Dieu, mais une déité inférieure, qui n'est pas le Père de tous et n'est certainement pas toute-puissante.

Nous voilà maintenant en position d'examiner de plus près certains des enseignements clés de cet évangile – sur Dieu, le monde, le Christ, le salut et les apôtres qui soutiennent le credo ayant fini par être accepté, et qui pourtant jamais ne comprennent la vérité.

Dieu dans l'Évangile de Judas

Au début de l'Évangile, il est clair que le Dieu de Jésus n'est pas le dieu créateur des Juifs. Dans la première scène, Jésus trouve les disciples réunis, « s'exerçant à pratiquer leur pieuse observance ». Littéralement, le copte dit que les disciples étaient « engagés dans des pratiques de piété à l'égard de Dieu ». Ils partagent un repas eucharistique, remerciant Dieu de leur nourriture. On s'attendrait à ce que Jésus respecte cet acte religieux. Mais non, il se met à sourire. Les disciples ne voient pas ce qu'il y a de drôle : « Maître, pourquoi souris-tu de notre action de grâces ? Nous avons fait ce qu'il convient de faire. » Jésus répond qu'ils ne savent pas vraiment ce qu'ils font : en rendant grâce pour leur nourriture, ils louent *leur* dieu – qui n'est pas le Dieu de Jésus. Voilà les disciples déconcertés : « Maître [...], tu es le fils [...] de notre Dieu. » Eh bien non, il ne l'est pas. Jésus répond qu'aucun de leur « génération » ne saura qui il est véritablement.

C'est alors qu'« ils se fâchèrent, s'emportèrent, et commencèrent à blasphémer contre lui dans leur cœur ». Jésus se met alors en devoir de les morigéner et il parle à nouveau de « votre Dieu qui est en vous ». Plusieurs thèmes clés entrent ici en jeu, qui se répètent à travers toute la narration : les disciples de Jésus ne savent pas qui il est véritablement ; ils vénèrent un dieu qui n'est pas le père de Jésus ; ils ne comprennent pas la vérité sur Dieu. Judas, le seul qui comprend vraiment, déclare que Jésus est venu du « royaume immortel de Barbêlô », c'est-à-dire du royaume des véritables êtres divins immortels, non pas du royaume inférieur du dieu créateur des Juifs.

Cette conception du dieu créateur en tant que déité inférieure est décrite avec une grande clarté dans le mythe que Jésus va longuement exposer en privé à Judas. Selon les auteurs proto-orthodoxes comme Irénée (j'emploie à son sujet le terme de « proto-orthodoxe » parce qu'il embrassait des vues qui allaient être ultérieurement appelées ortho-doxes), il y a seulement un Dieu, qui a fait tout ce qui existe, sur la terre comme au ciel. Mais il n'en va pas ainsi dans notre Évangile. Les complexités du mythe que Jésus révèle à Judas peuvent sembler dérou-tantes, mais son noyau est clair. Avant même que le dieu créateur n'accède à l'existence, il y a quantités d'autres êtres divins : soixante-douze éons, chacun flanqué d'un « luminaire » et de cinq firmaments des cieux (pour un total de trois cent soixante firmaments), accompagnés d'innombrables anges se vénérant mutuellement. De plus, ce monde appartient au royaume de « perdition », ou, comme on peut aussi traduire ce mot, de « corruption ». Il ne s'agit pas de la bonne création du seul vrai Dieu. Ce n'est qu'après que toutes les autres entités divines sont venues à être que le Dieu de l'Ancien Testament – nommé El – vient à être, suivi de ses auxiliaires, Ialdabaôth le sanglant et Saklas l'insensé. Ce sont ces deux derniers qui ont créé le monde, puis les humains.

Lorsque les disciples vénèrent « leur Dieu », c'est le rebelle et l'insensé qu'ils vénèrent, les créateurs de cette existence matérielle sanglante et dénuée de sens. Ils ne vénèrent pas le vrai Dieu, au-dessus de tous autres, omniscient, tout-puissant, entièrement esprit, complètement retranché de ce monde passager, fait de douleur et de souffrance, engendré par un rebelle et un insensé. Il n'est guère étonnant qu'Irénée ait jugé ce texte si offensant. Censé représenter les vues de Jésus, l'Évangile de Judas tourne en dérision les croyances les plus chères d'Irénée.

Le Christ

À travers tout l'Évangile de Judas, Jésus parle des douze disciples et de « leur Dieu ». Il est clair que Jésus n'appartient pas au dieu de ce monde – l'un de ses desseins, est de révéler l'infériorité et la turpitude morale de ce dieu, et, après avoir quitté son enveloppe charnelle, de regagner le royaume divin, le monde parfait de l'Esprit.

Jésus n'est donc pas un être humain normal, et la première indication que nous en trouvons dans ce texte est qu'il « apparut sur la Terre ». Cela suggère déjà qu'il vient d'un autre royaume. Une grande partie de l'Évangile étant consacrée à sa révélation des « mystères secrets » du monde immortel de la vraie divinité, on peut en déduire que cet autre royaume est le lieu d'où il a émané.

Sa qualité d'être unique fait l'objet d'une allusion : « Souvent il n'apparaissait pas à ses disciples sous ses propres traits, mais on le trouvait parmi eux tel un enfant. » Les spécialistes versés dans la littérature chrétienne des premiers temps n'auront pas de peine à la saisir. Bon nombre d'écrits chrétiens extérieurs au Nouveau Testament décrivent Jésus comme un être « docétique », autrement dit un être qui paraissait humain uniquement parce qu'il *était* une apparence (*docétique* vient du mot grec *dokeo*, qui veut dire « sembler » ou

« paraître »). En tant qu'être divin, Jésus avait toute latitude pour prendre la forme qu'il voulait. Dans certains écrits chrétiens primitifs, il pouvait apparaître tel un vieil homme ou sous les dehors d'un enfant – et cela simultanément, devant différentes personnes ! (On peut trouver un exemple semblable dans un livre non canonique intitulé les Actes de Jean.) Il en va de même ici : Jésus n'avait pas de corps réel, charnel, et pouvait revêtir diverses apparences à son gré.

Mais pourquoi apparaître aux disciples sous l'aspect d'un enfant ? Cet aspect ne risquerait-il pas de saper son autorité sur eux plutôt que de l'affirmer ? (Ce n'est qu'un enfant, que sait-il donc ?) Ce point sera sans doute longtemps débattu par les exégètes qui se pencheront sur ce texte. Il semble que dans cet évangile le fait d'être un enfant ne revêt pas du tout une signification négative, bien au contraire : les enfants ne sont pas souillés par les âpres réalités du monde matériel, pas plus qu'ils ne sont corrompus par sa fausse sagesse. En outre, la Bible n'énonce-t-elle pas : « Par la bouche des tout-petits et des nourrissons, tu as fondé une forteresse » (Psaume 8, 3) ? L'enfant représente la pureté et l'innocence face au monde. Et seul le Christ incarne la pureté absolue – et la sagesse et la connaissance qui transcendent le simple mortel.

Cette connaissance constitue de toute évidence le thème principal de l'Évangile de Judas. Celle des mystères secrets que seul Jésus détient et que seul Judas est digne de recevoir. Jésus en est le détenteur parce qu'il vient du « Royaume de Barbèlô ». Et il est apparemment capable de visiter ce royaume à sa guise. Au lendemain de sa première conversation avec les disciples, alors que ceux-ci s'inquiètent de savoir où il est allé entre-temps, il leur répond : « Je suis allé visiter une autre génération grande et sainte. » Quand ils le questionnent sur cette « génération », il sourit à nouveau – non pas de la vénération empreinte d'ignorance qu'ils manifestent à l'égard du créateur, mais de leur manque de connaissance sur le véritable royaume du divin. Car aucun simple mortel ne peut s'y rendre – c'est un royaume au-delà de ce monde, le royaume de toute perfection et de toute vérité, l'ultime destination des êtres dépositaires d'une parcelle divine qui peut se soustraire aux oripeaux du monde matériel. Seul Jésus détient la connaissance de ce royaume, car c'est de là qu'il est venu et c'est là qu'il retournera.

Comme nous l'avons vu, Judas est ici le compagnon le plus intime de Jésus : le seul digne de recevoir les mystères secrets de ce royaume et celui qui permet à Jésus d'y retourner à titre définitif. Jésus paraît avoir un vrai corps de chair et de sang uniquement pour le temps qu'il doit passer ici-bas sur la

Terre. Il lui faut s'évader de cette enveloppe mortelle pour regagner sa demeure céleste.

Quelle est alors, dans cet évangile, le sens de la mort de Jésus ? Irénée et d'autres auteurs proto-orthodoxes ont fondé leurs conceptions sur des écrits qui sont finalement devenus le Nouveau Testament, comme l'Évangile de Marc et les Épîtres de l'apôtre Paul, où la mort de Jésus est considérée comme un sacrifice destiné à racheter les péchés du monde (voir Marc 10, 45 ; Romains 3, 21-28). Selon cette conception, la mort de Jésus était essentielle au salut : elle payait le prix du péché afin que les pécheurs puissent renouer de bons rapports avec le Créateur du monde et de tout ce qu'il contient. Il n'en va pas ainsi dans l'Évangile de Judas. Ici, point n'est besoin d'être réconcilié avec le créateur du monde, lequel n'est qu'un rebelle sanguinaire. Au contraire, il est impératif d'échapper à ce monde et à son créateur, en abandonnant l'enveloppe charnelle qui lui appartient. La mort de Jésus constitue son évasion.

Il semblera étrange à beaucoup de lecteurs que l'Évangile de Judas finisse comme il le fait, par la supposée trahison. Mais le récit forme un tout cohérent. La mort de Jésus est une conclusion décidée d'avance : il ne faut que le moyen par lequel elle surviendra, et Judas remplit son rôle en fournissant ce moyen. Voilà en quoi il « surpasse » tous les autres.

Il n'y aura pas de résurrection. C'est peut-être là le point capital de l'Évangile. Jésus ne se lèvera pas d'entre les morts. Pourquoi le ferait-il ? Le salut consiste précisément à *échapper* au monde matériel. La résurrection d'un corps mort *ramène* la personne dans le monde du créateur. Puisqu'il s'agit de permettre à l'âme de laisser ce monde derrière elle et d'entrer dans « cette génération grande et sainte » – à savoir le divin royaume qui transcende ce monde –, une résurrection du corps est la dernière chose que Jésus, ou n'importe lequel de ses vrais compagnons, pourrait souhaiter.

Le salut

Le salut, tel est aussi l'objectif des vrais compagnons de Jésus. Ce monde et tous ses oripeaux doivent être transcendés. Cette opération peut se produire lorsque l'âme apprend la vérité sur son origine et sa destination, puis s'évade de la prison matérielle du corps.

Cet enseignement devient clair lors d'un dialogue capital entre Judas et Jésus, au sein duquel cette génération-ci – la race du peuple qui vit sur Terre – est confrontée à cette génération-là – le royaume des êtres divins. Certains appartiennent à celle-ci, d'autres à celle-là – ceux dépositaires d'une parcelle divine, qui seuls peuvent être sauvés quand ils meurent. Lorsque ceux qui appartiennent à cette génération-ci mourront, ce sera la fin de leur histoire. Comme le dit Jésus :

> Les âmes de chaque génération humaine mourront. Mais lorsque ces personnes auront consommé leur temps de royaume, et que l'esprit s'en séparera, leurs corps mourront mais leurs âmes recevront la vie, et elles seront emportées en haut.

Selon ce point de vue, les humains sont constitués d'un corps, d'un esprit et d'une âme. Le corps est la part matérielle qui habille l'âme intérieure, laquelle est la véritable essence de la personne. L'esprit est la force qui anime le corps, lui donnant vie. Lorsque l'esprit quitte le corps, le corps meurt et cesse d'exister. Pour ceux qui appartiennent uniquement au royaume humain, c'est aussi bien l'âme qui meurt. Ainsi que le dit Jésus juste après : « Il est impossible de semer du grain sur du rocher et d'en récolter le fruit. » En d'autres termes, pour qui n'a pas en lui une étincelle divine, la vie ne se poursuivra pas. Mais pour ceux qui appartiennent au royaume d'en haut, l'âme continue de vivre après la mort et elle est élevée jusqu'à sa demeure céleste.

Cette idée est approfondie une fois que Jésus a décrit le mythe des commencements à Judas, qui demande alors : « L'esprit de l'homme est-il mortel ? » Jésus explique qu'il y a deux sortes d'humains, ceux dont les corps ont reçu de l'archange Michel un esprit à titre temporaire, afin qu'ils puissent offrir leur « service » (liturgique), et ceux à qui l'archange Gabriel a accordé l'esprit éternel, et qui appartiennent par conséquent à « la grande génération sans archonte au-dessus d'elle ». Ces derniers, après leur mort, regagneront le royaume d'où ils sont venus. Judas lui-même, bien entendu, compte parmi eux. Tandis que les autres disciples semblent être de la première sorte, des ignorants offrant leur « service » et qui, à leur mort, cesseront simplement d'exister.

Les compagnons de Jésus

Parmi les particularités les plus frappantes de l'Évangile de Judas, il y a cette répétition sous forme d'insistance : les douze disciples de Jésus jamais ne comprennent la vérité, ils se tiennent en dehors du royaume des sauvés et ils persécutent Judas – sans se rendre compte que lui seul connaît et comprend Jésus et les secrets qu'il a révélés. C'est parce qu'ils n'ont rien de mieux à penser, comme nous l'avons vu, qu'ils lapident Judas (dans une vision). Judas se trouve en dehors de leur nombre, ce pour quoi Jésus l'appelle « le treizième ». Ici, le chiffre treize porte chance.

Les douze disciples sont portraiturés comme ceux qui vénèrent le dieu créateur, par exemple dans la scène eucharistique qui ouvre le récit. Ce portrait est plus éloquent encore dans la deuxième scène, malheureusement fragmentaire, où ils décrivent à Jésus une vision qu'ils ont eue, celle des sacrifices se déroulant dans le Temple de Jérusalem.

Beaucoup de lecteurs connaissent sans doute déjà l'histoire, racontée dans le Nouveau Testament, de l'arrivée des disciples et de Jésus au Temple tout juste une semaine avant son exécution. Jésus crée un esclandre dans le Temple, il renverse les tables des changeurs de monnaie et expulse les vendeurs d'animaux destinés aux sacrifices (Marc 11, 15-17). Les disciples, eux, sont montrés indûment impressionnés par ce qu'ils ont vu, tels des paysans galiléens se rendant pour la première fois dans la grande ville. De même, ils sont excessivement intimidés par les dimensions grandioses du Temple. L'un d'eux s'exclame : « Maître, regarde : quelles pierres ! quelles constructions ! » (Marc 13, 1).

L'Évangile de Judas présente une version alternative de cette scène. Ici les disciples adressent à Jésus des commentaires, non pas sur l'édifice du Temple, mais sur les sacrifices qui s'y déroulent. Ils voient un autel, des prêtres, une foule, des sacrifices à l'œuvre, et ils en sont troublés, ils veulent savoir de quoi il s'agit. En fait, il s'agit d'eux. Jésus leur dit que les prêtres officiant à l'autel, qui accomplissent les sacrifices, « invoquent mon nom ». En d'autres termes, ceux qui ont pris l'initiative de vénérer ainsi le Dieu juif se croient en train de servir Jésus lui-même. Nous apprenons alors que ce que les disciples ont vu est une vision symbolique – il n'est pas question des sacrifices juifs pratiqués dans le Temple, mais de leurs propres pratiques de vénération. Jésus leur dit :

> Ceux que vous avez vus recevant les offrandes à l'autel – voilà qui vous êtes. C'est là le dieu que vous servez, et vous êtes ces douze hommes que vous avez vus. Et les bêtes que vous avez vues, qu'on menait au sacrifice, ce sont tous ceux que vous fourvoyez...

Autrement dit, les disciples qui continuent de pratiquer leur religion comme si l'ultime objet de vénération devait être le dieu créateur des Juifs, en invoquant le nom de Jésus pour appuyer leur foi, se trompent du tout au tout. Au lieu de servir le vrai Dieu, ils le blasphèment. Et ce faisant, ils fourvoient leurs compagnons.

C'est là un portrait accablant, non seulement des disciples de Jésus, mais aussi des chrétiens proto-orthodoxes vivant au temps où l'Évangile de Judas a été produit. Les proto-orthodoxes ne pratiquaient évidemment plus dans le Temple juif, détruit à cette époque, et la vaste majorité d'entre eux étaient des gentils et non des juifs. Mais ils soutenaient que le Dieu qu'ils vénéraient était le Dieu juif qui avait

donné la Loi juive et envoyé le Messie juif au peuple
juif en accomplissement des Écritures juives. Ils se
voyaient comme les « vrais Juifs », le vrai peuple du
seul et vrai Dieu.

Jésus, dans cet évangile-ci, indique qu'ils s'abu-
sent totalement. Certes, ils vénèrent le Dieu juif,
mais ce dieu est un insensé doublé d'un risque-tout.
Certes, il a créé le monde, mais ce monde n'est pas
bon ; c'est un cloaque de malheur et de souffrance.
Le vrai Dieu n'a jamais rien eu à voir avec. Les chrétiens proto-orthodoxes promeuvent une fausse religion. En dernier lieu, seule est vraie la religion
enseignée secrètement par Jésus à son plus intime
compagnon, Judas. Tout le reste est au mieux une
duperie, une erreur néfaste promue par les chefs des
Églises proto-orthodoxes.

L'ÉVANGILE DE JUDAS ET LE CANON DE L'ÉCRITURE

À la lumière de ces dures attaques contre les chefs
de l'Église proto-orthodoxe – les ancêtres d'Irénée et
autres théologiens de même mentalité qui ont développé et propagé la compréhension « orthodoxe » de
Dieu, du monde, du Christ et du salut –, on ne s'éton-
nera pas qu'il n'ait jamais été envisagé d'inclure
l'Évangile de Judas dans le Nouveau Testament.

Comment notre Nouveau Testament a-t-il été constitué, avec ses quatre Évangiles de Matthieu, de Marc, de Luc et de Jean, et pourquoi une poignée d'écrits chrétiens ont-ils pu être insérés dans le canon, alors que la plupart (dont l'Évangile de Judas) en ont été exclus ?

Le Nouveau Testament consiste en vingt-sept livres acceptés par le parti orthodoxe victorieux en tant que textes sacrés transmettant la parole de Dieu à son peuple. Lorsque le christianisme a débuté – avec la personne historique de Jésus – il disposait déjà d'un corpus d'écrits sacrés faisant autorité. Jésus était un Juif vivant en Palestine, et, comme tout bon Juif palestinien, il reconnaissait l'autorité des Écritures juives, surtout celle des cinq premiers livres de ce que les chrétiens ont nommé l'Ancien Testament (Genèse, Exode, Lévitique, Nombres et Deutéronome), appelé aussi parfois la Loi de Moïse. Jésus lui-même s'est présenté comme un interprète autorisé de ces Écritures, et ses compagnons voyaient en lui un grand rabbi (enseignant).

Après la mort de Jésus, ses compagnons ont continué de révérer ses enseignements et ils ont commencé à leur conférer une autorité égale à ceux de Moïse lui-même. Ce sont non seulement les enseignements de Jésus mais aussi ceux de ses plus proches compagnons qui furent considérés comme des sources autorisées, surtout lorsqu'on entreprit de les consigner dans des livres. Mais au fil des années et des décennies, de plus en plus d'écrits sont apparus, prétendument rédigés par des apôtres. Par exemple, nous avons plus d'épîtres de Paul que les treize qui lui sont attribuées dans le Nouveau Testament, et les exégètes d'aujourd'hui ont la certitude raisonnable que certaines de ces dernières ne sont pas de sa main. De même, l'Apocalypse ou Révélation de Jean apparaît dans le Nouveau Testament, mais d'autres apocalypses en ont été écartées – par exemple une Apocalypse de Pierre et une Apocalypse de Paul.

Il y a eu beaucoup d'évangiles. Les quatre du Nouveau Testament sont des écrits anonymes – c'est seulement au IIᵉ siècle qu'on en vint à les intituler d'après les noms de deux disciples de Jésus (Matthieu et Jean) et de deux compagnons des apôtres (Marc, compagnon de Pierre, et Luc, compagnon de Paul). D'autres évangiles apparurent, qu'on prétendit également rédigés par des apôtres. En plus de notre Évangile de Judas, récemment découvert, nous disposons des évangiles censément écrits par Philippe et par Pierre, de deux recensions différentes de l'évangile du frère de Jésus, Judas Thomas, un évangile de Marie Madeleine, etc.

Tous ces évangiles (et épîtres, apocalypses, etc.) étaient liés aux apôtres, tous étaient censés représenter les vrais enseignements de Jésus, et tous ont été révérés – par un groupe chrétien ou l'autre – en tant qu'écriture sacrée. Avec le temps, il en apparut de plus en plus. Et de prodigieux débats furent engagés sur la juste interprétation de la religion du Christ, afin de savoir quels livres accepter.

En bref, l'un des groupes chrétiens en compétition l'emporta sur les autres. En faisant beaucoup plus de convertis que ses adversaires, il relégua tous ses concurrents dans les marges. Il décida de la structure oligarchique de l'Église, des credo que les chrétiens allaient réciter, des livres qui allaient être acceptés comme textes sacrés. Ce fut le groupe auquel appartenait Irénée et d'autres figures familières aux spécialistes du christianisme des IIe et IIIe siècles, comme Justin le martyr et Tertullien. Ce groupe devint « orthodoxe », et, une fois scellée sa victoire sur tous ses adversaires, il réécrivit l'histoire de l'engagement, prétendant que telle avait toujours été l'opinion majoritaire dans le christianisme, que ses vues avaient toujours été celles des églises apostoliques et des apôtres, que ses credo étaient enracinés dans les enseignements de Jésus. La preuve en était que Matthieu, Marc, Luc et Jean racontaient tous l'histoire comme les proto-orthodoxes s'étaient accoutumés à l'entendre.

Que sont devenus tous les autres livres, ceux qui présentaient une version différente de l'histoire et furent donc laissés en dehors du canon proto-orthodoxe ? Certains furent détruits, mais la plupart furent simplement perdus ou tombèrent en poussière. Après un certain temps, ils étaient rarement recopiés (si tant est qu'ils le fussent), puisque les vues qu'ils colportaient avaient été jugées hérétiques. C'est uniquement dans de petits groupes marginaux à l'intérieur du christianisme – un groupe gnostique ici, un groupe judéo-chrétien là – que ces écrits furent maintenus en vie. Des rumeurs sur leur existence continuaient de circuler, mais personne ne se souciait particulièrement de les préserver pour la postérité. À quoi bon ? Ils contenaient des faussetés qui ne pouvaient qu'égarer les gens. Mieux valait les laisser mourir d'une mort ignoble.

Et tel fut leur sort. Alors que les vieux manuscrits se désagrégeaient, peu d'entre eux étaient recopiés. Plus tard, même ces copies isolées disparaissaient – jusqu'aux temps modernes, où, en de rares occasions, l'une ou l'autre émergeait, pour nous révéler qu'au IIe siècle de notre ère l'orthodoxie n'avait pas l'apanage de l'interprétation de la religion. De fait, il existait une vive opposition à la conception orthodoxe, une opposition incarnée, par exemple, dans cette récente et très précieuse découverte qu'est l'Évangile de Judas. Voici en effet un livre qui met la théologie du christianisme traditionnel sens dessus dessous, qui prend le contre-pied de tout ce que nous avons pu penser de la nature du vrai christianisme. La vérité n'y est pas enseignée par les autres disciples de Jésus et leurs successeurs proto-orthodoxes. Ces chefs chrétiens sont aveugles à la vérité, qui fut délivrée dans le secret à l'unique disciple que tous étaient convenus de mépriser : Judas l'Iscariote, le traître.

Selon cette conception occultée jusqu'à ce jour, seul Judas connaissait la vérité sur Jésus : Jésus n'était pas issu du créateur de ce monde, et il n'était certainement pas son fils. Il était venu du royaume de Barbèlô pour révéler les mystères secrets susceptibles d'apporter le salut. Ce ne fut pas sa mort qui apporta ce salut. Elle le délivra simplement de ce mauvais monde matériel – cloaque de douleur, de malheur et de souffrance – que notre seul espoir de salut est de délaisser. Certains d'entre nous sont porteurs d'une étincelle divine : à leur mort, ils jailliront hors des prisons de leur corps et regagneront leur demeure céleste, le divin royaume d'où ils sont descendus et auquel ils reviendront, afin de vivre pour toujours une vie glorieuse et exaltée.

IRÉNÉE DE LYON ET L'ÉVANGILE DE JUDAS

Le Codex Tchacos, un ancien livre de papyrus trouvé en Égypte, contenait à l'origine au moins quatre traités gnostiques, écrits dans le dialecte saïdique du copte [9], une langue ancienne d'Égypte. Dans l'ordre, le premier document est une copie en piteux état de préservation de la Lettre de Pierre à Philippe, un texte connu depuis la fameuse découverte de Nag Hammadi, ville d'Égypte, en 1945. Le deuxième, beaucoup mieux préservé, est la copie d'un traité intitulé « Jacques », qui est à rapprocher de la première Apocalypse de Jacques, également trouvée dans la bibliothèque de Nag Hammadi. Le troisième est l'Évangile de Judas, traduit et publié ici pour la première fois. Quant au quatrième document, seules subsistent quelques parties des premières pages de ce traité, provisoirement intitulé le Livre d'Allogène [10] par le comité éditorial du Codex Tchacos. Le copte du codex n'est pas la langue originale dans laquelle ces quatre traités ont été écrits. On suppose qu'ils ont été traduits d'après des originaux grecs, comme tous les textes de Nag Hammadi. Pour ce qui concerne l'Évangile de Judas, il en est fait mention dans la littérature chrétienne des premiers temps, et cet essai a pour but d'établir la possibilité d'un lien entre ces références anciennes et le texte récemment découvert. Si ce but devait être atteint, cela nous aiderait à dater l'original grec de l'Évangile de Judas.

LES TÉMOINS DES PREMIERS TEMPS : IRÉNÉE ET LE PSEUDO-TERTULLIEN

L'existence d'un Évangile de Judas a été pour la première fois attestée par un évêque vivant à la fin du IIe siècle, Irénée de Lyon, qui le mentionne dans son fameux traité *Dénonciation et réfutation de la gnose au nom menteur*, communément intitulé *Contre les hérésies*. Bien qu'il ait été à l'origine écrit en grec aux alentours de l'an 180, nous n'avons de ce traité qu'une traduction latine du IVe siècle ; toutefois des fragments de l'original grec subsistent dans des citations faites ultérieurement par des auteurs chrétiens aux prises avec le problème de l'hérésie. En appendice à son traitement des « gnostiques [11] » et « autres » croyants d'obédience gnostique, appelés « ophites » (« adorateurs du serpent ») dans la tradition chrétienne tardive, Irénée se penche sur ceux qu'il considère comme des sous-groupes de ces gnostiques. Il résume ainsi quelques-uns de leurs enseignements :

> D'autres encore disent que Caïn était issu de la Suprême Puissance, et qu'Esaü, Coré, les gens de Sodome et tous leurs pareils étaient de la même race qu'elle : pour ce motif, bien qu'ils aient été en butte aux attaques du démiurge, ils n'en ont subi aucun dommage, car Sagesse s'emparait de ce qui, en eux, lui appartenait en propre. Tout cela, disent-ils, Judas le traître l'a exactement connu, et, parce qu'il a été le seul d'entre les disciples à posséder la connaissance de la vérité, il a accompli le « mystère » de la trahison : c'est ainsi que, par son entremise, ont été détruites toutes les choses terrestres et célestes. Ils exhibent, dans ce sens, un écrit de leur fabrication, qu'ils appellent « Évangile de Judas » [12].

Selon Irénée, ce groupe de gnostiques milite pour une réévaluation des idées juives et chrétiennes orthodoxes sur le salut divin. Les personnages des Écritures juives tels qu'Esaü, Coré et les Sodomites [13] – considérés par la tradition orthodoxe comme immoraux et rebelles à la volonté de Dieu – sont ici comme les serviteurs du seul et vrai Dieu, de « la Suprême Puissance ». Cette puissance, représentée par la figure gnostique de Sophia, ne doit pas être identifiée avec le dieu créateur de la tradition judéo-chrétienne, appelé le démiurge.

Même la figure la plus maligne du Nouveau Testament, Judas l'Iscariote, le disciple qui a trahi Jésus et l'a livré aux autorités, est incluse dans cette réévaluation. Il est considéré par ces gnostiques comme le seul disciple – « parmi tous les apôtres », selon une citation grecque d'Irénée faite par un auteur du Ve siècle, Théodoret de Cyr – ayant la connaissance de « ces choses-là ». Par conséquent, son acte est présenté comme un « mystère » menant à la dissolution de toutes les choses terrestres et célestes, c'est-à-dire de toutes les œuvres du « démiurge » ou gouverneur de ce monde.

À partir du début du IIIe siècle, ce groupe de gnostiques fut appelés les caïnites [14] (« émules de Caïn ») par des auteurs chrétiens comme Clément d'Alexandrie. Mais la plupart de ces auteurs chrétiens d'une époque tardive se fondent presque uniquement sur l'exposé d'Irénée [15]. Seul un traité latin anonyme du IIIe siècle, *Des prescriptions contre les hérétiques*, faussement attribué à l'auteur chrétien Tertullien, et un compte rendu de l'hérésiologue (chasseur d'hérésies) grec du IVe siècle, Épiphane de Salamine, offrent des informations supplémentaires et plus détaillées sur cette vue alternative de la trahison de Judas adoptée par ce cercle de gnostiques – avec comme source présumée un traité théologique perdu d'Hippolyte de Rome. Dans le deuxième chapitre de son traité, le Pseudo-Tertullien caractérise ainsi les enseignements des caïnites :

> Il éclata encore une autre hérésie, qu'on appelle hérésie des caïnéens, car ceux-là glorifient Caïn, comme conçu par une puissante vertu, qui a opéré en lui. Ils disent qu'Abel a été conçu, procréé par une vertu inférieure, et que c'est pourquoi il est trouvé inférieur aussi. Ceux qui affirment cela défendent même le traître Judas, proclament qu'il est admirable et grand, cet homme, à cause des avantages qu'ils prétendent que le genre humain a reçus de lui. Quelques-uns d'entre eux pensent qu'il faut, pour cette raison, lui rendre des actions de grâces ; car, disent-ils, Judas observant que le Christ voulait renverser la vérité, il le livra, de peur que la vérité ne pût être renversée. D'autres parlent autrement et disent que, comme les puissances de ce monde ne voulaient pas que le Christ souffrît, de crainte que par sa mort le salut ne fût acquis au genre humain, Judas, alors pourvoyant au salut de l'espèce humaine, livra le Christ, afin que le salut, qui était empêché par les vertus, lesquelles s'opposaient à ce que le Christ souffrît, ne pût nullement être empêché, et qu'ainsi le salut du

genre humain par la Passion du Christ ne pût être retardé [16].

Selon ce texte, les caïnites auraient interprété l'acte de Judas de deux façons. D'un côté, ils auraient soutenu l'opinion que Jésus a été empêché par la trahison de « renverser la vérité », une vue qui nous reste fort obscure et en laquelle on peut voir la distorsion typique d'un auteur chrétien orthodoxe qui jugeait blasphématoire cette description de l'acte de Judas. De l'autre, le Christ aurait été livré puis mené à sa mort afin de permettre le salut de l'humanité, que les « puissances de ce monde » – c'est-à-dire les forces inférieures du démiurge – avaient l'intention d'entraver. Cette affirmation est similaire au propos d'Irénée qui dit que le « mystère » de la trahison conduit à la dissolution des œuvres des puissances inférieures. Mais il importe de noter que le Pseudo-Tertullien ne mentionne aucunement l'Évangile de Judas. Son exposé est limité à ce qu'il croit être les enseignements des caïnites. D'où la question : faut-il ou non considérer l'Évangile de Judas, mentionné par Irénée, comme une œuvre d'inspiration caïnite contenant cette sorte de réévaluation du salut ? Si oui, l'identification de l'Évangile de Judas évoqué par Irénée avec le texte du Codex Tchacos sera épineuse, car dans ce dernier il n'est fait nulle mention de Caïn ou de quelque autre antihéros des Écritures juives évoqués par Irénée. Dans cette éventualité, nous devrions donc supposer qu'il ait existé plus d'un Évangile de Judas [17] en circulation dans les communautés gnostiques de l'Antiquité.

CONTENU HISTORIQUE DE L'EXPOSÉ D'IRÉNÉE

Une analyse attentive de l'exposé d'Irénée montre qu'il ne compte pas l'Évangile de Judas parmi les écrits émanant de ces « autres » gnostiques [18]. Il avait certainement entendu parler d'écrits composés dans ce cercle, comme il l'affirme dans la phrase suivant immédiatement la citation précédente (p. 147) : « J'ai pu rassembler d'autres écrits émanant d'eux. » Mais concernant l'Évangile de Judas, il se borne à affirmer que « d'autres encore » « exhibent » (ou, à notre sens, « présentent » [19]) « un écrit de leur fabrication » portant ce titre afin d'appuyer leurs points de vue. Cette assertion d'Irénée laisse simplement entendre que ses adversaires se référaient à un Évangile de Judas pour étayer leur représentation du traître, un être doté d'une connaissance particulière et destiné à jouer un rôle important dans leur conception du salut divin ; il ne s'ensuit pas nécessairement que cet Évangile ait contenu *toute* leur conception du salut. Si cela est exact, il est très incertain qu'Irénée ait eu réellement sous les yeux le texte de l'évangile auquel ses adversaires faisaient allusion. En fait, contrairement aux écrits caïnites qu'il collectionnait à titre personnel, l'Évangile de Judas semble lui avoir été connu uniquement par ouï-dire. Pour cette raison, nous ne pouvons savoir avec certitude pour quelle part de leurs enseignements les gnostiques se référaient à ce texte, à l'exception de ce qu'ils appelaient le « mystère » de la trahison.

En revanche, ce qu'on peut sûrement déduire de l'exposé d'Irénée, c'est que les caïnites ont lu un Évangile de Judas, et qu'ils s'y référaient pour renforcer leur compréhension de l'acte de trahison en tant que mystère. Judas, décrit dans cet évangile comme « le seul d'entre les disciples [de Jésus] à posséder la connaissance de la vérité », et que l'acte de trahison doit être interprété, selon une perspective gnostique de l'histoire du salut, comme participant du processus de dissolution de « toutes les choses terrestres et célestes » [20].

COMPARAISON DE L'ÉVANGILE COPTE DE JUDAS AVEC L'EXPOSÉ D'IRÉNÉE

Ces deux interprétations que nous venons d'évoquer courent à travers tout le nouvel Évangile copte de Judas. Dès la première scène, Judas l'Iscariote est dépeint comme un disciple doté d'une connaissance particulière de la véritable identité de Jésus. Judas apparaît pour la première fois à la page 35 du codex, où il est présenté comme le seul disciple capable de laisser sa personnalité, intérieure et spirituelle, s'exprimer devant Jésus. Dans la même scène, il confesse savoir qui est vraiment Jésus et d'où il vient : « Tu es issu du royaume immortel de Barbèlô, dit-il, et le nom de qui t'a envoyé, je ne suis pas digne de le prononcer. » Et comme Jésus sait que Judas « réfléchissait encore au reste des réalités sublimes », il l'exhorte à se séparer des disciples et il le considère comme le seul digne d'être initié aux « mystères du Royaume » (Évangile de Judas 35, 45).

Plus tard, Judas est mis à part par Jésus pour « cette génération-là », c'est-à-dire pour la progéniture de Seth [21], les vrais gnostiques, et grâce à cela il sera exalté au-dessus des autres disciples (46). C'est à Judas seul que Jésus révèle la connaissance du « Royaume grand et illimité, dont aucune génération d'anges n'a vu l'étendue, [dans lequel] il y a [le] grand [Esprit] invisible, qu'aucun œil d'ange n'a jamais vu, qu'aucune pensée du cœur n'a jamais embrassé, et qui n'a été jamais appelé d'aucun nom » (47). Vient ensuite la narration du mythe cosmologique dans sa totalité, qui s'achève avec la création de l'humanité par des dieux inférieurs (52-53).

Tout cela s'accorde parfaitement avec l'exposé d'Irénée affirmant que le Judas de l'Évangile de Judas est réellement « le seul d'entre les disciples [de Jésus] à posséder la connaissance de la vérité ». Notre texte copte présente de fait Judas comme celui à qui « tout a été dit » (57). À la fin, il *est* le parfait gnostique, digne d'être pour ainsi dire « transfiguré » en s'élevant dans une nuée lumineuse où il recevra sa vision du divin.

Pour ce qui concerne la place de Judas et de sa trahison dans le déroulement de l'histoire du salut, le texte copte n'est malheureusement pas aussi clair. Cela est principalement dû à l'état de détérioration des parties supérieures des dernières pages. Dans les pages 55, 56 et 57, nous pouvons déchiffrer une sorte de prophétie, déclamée de la bouche de Jésus au sujet de l'acte de Judas, mais plusieurs déclarations sont interrompues, parmi les plus importantes semble-t-il. Le texte se présente ainsi :

> Mais toi, tu les surpasseras tous. Car tu sacrifieras l'homme qui me sert d'enveloppe charnelle. Déjà ta corne s'est dressée, ton courroux s'est enflammé, ton étoile a brillé de tout son éclat, et ton cœur a [toute sa force]. En vér[ité, je te le dis : tes] dern[iers *(environ deux lignes et demie perdues)*], devenir [(*environ deux lignes et demie perdues*)] [(affliction [...] l'ar[chonte] étant anéanti, et alors le modèle de la grande génération d'Adam sera exalté, car avant

le ciel, la terre, et les anges, cette génération-là, qui est issue de ces Royaumes, existe. Voici, tout t'a été dit.

C'est là un langage clairement prophétique. Jésus enseigne à nouveau à Judas qu'il aura son rôle à jouer dans le déroulement de l'histoire du salut (il le lui avait déjà annoncé en lui disant qu'il allait être remplacé en tant que disciple et serait maudit par « les douze ») (Évangile de Judas 36, 46). La tâche de Judas consiste à sacrifier le corps de Jésus. La raison précise n'a pas été préservée dans le texte, mais nous pouvons conjecturer que, par ce sacrifice, l'esprit intérieur de Jésus sera libéré. Mais ce ne peut être là toute l'histoire, car, après une lacune d'environ cinq lignes, le texte énonce que quelqu'un (ou quelque chose [22]) va être « anéanti » et que « le modèle de la grande génération d'Adam » sera exalté. Ce qui va être anéanti, Jésus l'éclaire à la page 55 : il y parle de « l'égarement des étoiles », qui « errent avec ces cinq combattants, et tous seront détruits avec leurs créatures ». Ainsi est-ce non seulement ce monde (« leurs créatures ») qui sera anéanti, mais aussi les puissances célestes qui guident ce monde (les « étoiles » et les « combattants »). À la fin, la « grande génération d'Adam », à savoir la génération d'avant Seth, sera sauvée. Tout cela est également impliqué dans la parole de Jésus à Judas : « Tout t'a été révélé. »

Il importe de noter que notre texte mentionne l'anéantissement des réalités célestes (les « étoiles » et les « combattants ») et terrestres (« leurs créatures ») dans le contexte de l'acte de trahison de Judas. Même si des parties substantielles sont perdues dans cette page 57, il est possible d'établir un parallèle palpable avec l'exposé d'Irénée, à l'endroit où il est dit que, par l'acte de Judas, « ont été détruites toutes les choses terrestres et célestes ».

Étant donné que l'Évangile de Judas évoqué par Irénée n'est certainement pas un écrit émanant du groupe de ses adversaires, et qu'il ne semble pas l'avoir eu sous les yeux mais ne fait que rapporter ce qu'il en sait par ouï-dire, l'établissement d'un lien entre le texte copte du Codex Tchacos et l'Évangile de Judas connu d'après l'exposé d'Irénée nous semble justifié. Au risque de nous répéter, dans le texte copte, Judas est présenté comme l'unique disciple de Jésus doté d'une connaissance parfaite, et nous y trouvons aussi plusieurs points de concordance avec l'exposé d'Irénée, notamment lorsqu'il est affirmé qu'ont « été détruites toutes les choses terrestres et célestes ». Ces deux points posés, et comme nous ne disposons d'aucune preuve permettant de supposer qu'il y ait eu plus d'un Évangile de Judas en circulation dans l'Antiquité, nous sommes fondé à dire que l'Évangile de Judas évoqué par Irénée est identique à la version copte de l'Évangile de Judas récemment découverte. Par conséquent, nous pouvons fixer une « date butoir » par rapport à celle où l'Évangile a été écrit dans le grec d'origine. L'Évangile de Judas a été écrit avant l'an 180, lorsque Irénée notait que certains de ses adversaires s'en prévalaient pour étayer leurs enseignements.

Passons à la question suivante : *combien de temps* avant cette date l'Évangile de Judas a-t-il été composé ? Il est très ardu d'y répondre car son auteur nous est inconnu et que nous ne disposons pas d'informations historiques détaillées sur la secte chrétienne d'où il a émané. Mais un fait peut être établi avec certitude : l'Évangile de Judas renvoie en un certain endroit au livre des Actes du Nouveau Testament. À la page 36, Jésus dit à Judas : « Car un autre prendra ta place, afin que les douze [disciples] puissent se retrouver au complet avec leur Dieu » – une allusion claire au choix de Matthias comme remplaçant de Judas dans le cercle des douze disciples (Actes 1, 15-26). Puisque les exégètes du Nouveau Testament datent généralement le livre des Actes entre l'an 90 et l'an 100, on doit situer l'Évangile de Judas au IIᵉ siècle. Par conséquent, nous ne pouvons trouver ici plus de précisions historiques sur Judas l'Iscariote que dans les Évangiles canoniques.

La date du Codex Tchacos

Ne disposant pas du texte grec original de l'Évangile de Judas, nous devons essayer de déterminer la date de la copie copte que contient le Codex Tchacos. Celui-ci n'ayant pas été trouvé par des archéologues au cours de fouilles scientifiques – auquel cas la datation aurait pu être effectuée avec un fort degré de certitude –, nous pouvons seulement appliquer la méthode traditionnelle : comparaison de l'apparence et de la forme d'écriture avec d'autres codex en papyrus datables, tels ceux de la bibliothèque de Nag Hammadi. On obtient ainsi une date située dans la première moitié du IVe siècle, mais la datation de manuscrits par cette méthode est une tâche délicate, et le degré d'incertitude demeure élevé. Une analyse au carbone 14 conduite par A. J. Timothy Jull de l'université d'Arizona a permis de situer le codex dans le dernier quart du IIIe siècle (à quelques décennies près). Cette datation pourrait être confirmée par l'examen des fragments de feuilles de papyrus (ce qu'on appelle le cartonnage) utilisés à l'intérieur ou au dos de la reliure, puisque ces fragments – il peut s'agir de reçus d'impôts ou d'autres documents officiels – sont ordinairement datés. Mais ceux-ci n'ont pas encore été restaurés.

Conclusion

L'identification de l'Évangile de Judas découvert dans le Codex Tchacos avec celui mentionné par Irénée pourrait représenter une étape importante dans l'étude du gnosticisme ancien. La plupart des textes coptes de la bibliothèque de Nag Hammadi sont extrêmement difficiles à dater. Même dans le cas du Livre secret de Jean, texte dont l'existence est attestée par différentes versions au sein de quatre manuscrits coptes et par un commentaire d'Irénée, le problème qui consiste à établir l'antériorité de telle version par rapport à telle autre est loin d'être résolu [23]. Mais si l'Évangile de Judas que nous publions est celui évoqué par Irénée, il devient alors possible pour la première fois, de retracer l'histoire du gnosticisme séthien en remontant avant l'époque d'Irénée.

Nous n'avons pas de raison de supposer que le présent évangile ait été retravaillé de quelque manière. Cela ne revient pas à dire que des altérations textuelles n'ont pas été effectuées au cours de sa rédaction. Mais rien n'indique que des fragments supplémentaires, retrouvés ultérieurement, comme par exemple la révélation de la cosmologie (Évangile de Judas 47-53), auraient été ajoutés tardivement. Ce genre d'interpolations aurait évidemment détruit le texte original.

Le résultat qui importe est celui-ci : si ce texte est identifié comme étant la traduction copte de l'original grec que mentionne Irénée, cette version de la cosmologie séthienne date donc elle aussi d'avant l'an 180. Ce nouveau texte constituerait alors une preuve historique que le gnosticisme séthien est un mouvement antérieur à l'époque d'Irénée, et un gain significatif pour notre connaissance du christianisme primitif.

JUDAS ET LA SECTE GNOSTIQUE

Irénée de Lyon, dans *Contre les hérésies*, affirme que ce sont des adeptes de Caïn, le méchant frère d'Abel, qui ont composé l'Évangile de Judas. Connue sous le nom de caïnites, cette secte a été accusée par Irénée et d'autres hérésiologues [24] d'avoir pris fait et cause pour certains des personnages les plus tristement célèbres de la littérature biblique, dont Caïn, Esaü, Coré, les habitants de Sodome – et Judas l'Iscariote. Toutefois, mis à part ces accusations, rien ne prouve historiquement qu'un groupe de gens appartenant au christianisme primitif se soient appelés les caïnites ; ce nom semble être une désignation péjorative inventée par les chasseurs d'hérésies. Il n'existe pas non plus de référence à Caïn dans les pages préservées de l'Évangile de Judas, même si, en théorie, son nom pourrait être tapi ce qui est désormais dans une lacune.

Cependant il y a peut-être un élément de vérité dans le propos d'Irénée. Caïn est mentionné dans certains textes de la bibliothèque de Nag Hammadi [25], dont le Livre secret de Jean, L'Hypostase des Archontes et le Livre sacré du Grand Esprit invisible (aussi appelé l'Évangile égyptien) ; or, deux de ces ouvrages, le Livre secret et le Livre sacré, contiennent des passages qui présentent Caïn comme un gouverneur angélique du monde et qui, en plus de cette référence explicite, comportent des analogies appuyées avec une partie de l'Évangile de Judas (51-52). Le Livre sacré louange aussi les gens de Sodome et de Gomorrhe pour leur perspicacité, les montre comme des rebelles dotés d'une cause. Et ces textes qui mentionnent Caïn ont encore d'autres rapports avec l'Évangile de Judas.

Dans son *Panarion*, ou « Boîte à remèdes », qui recèle des antidotes pour tous les maux liés aux hérésies, Épiphane de Salamine, autre hérésiologue, associe les adeptes de Caïn et les auteurs de l'Évangile de Judas à des groupes qu'il qualifie de « soi-disant gnostiques », de *gnostikoi*, mot grec signifiant « les connaissants » ou « les êtres de connaissance [26] ». Certains chercheurs critiquent l'emploi du mot *gnostique*, qu'ils considèrent comme un terme fourre-tout recouvrant des croyances aussi nombreuses que différentes [27], alors qu'Irénée rapporte comme un fait avéré que certains groupes religieux se proclamaient « gnostiques ». La connaissance revendiquée par ces groupes n'est pas d'ordre profane mais mystique, c'est une connaissance de Dieu et de soi ainsi que du rapport entre Dieu et soi. Dans l'Évangile de Judas, le mot *gnôsis* est utilisé à deux reprises (50, 54), et, la seconde fois, « Dieu » est mentionné, qui « a fait que la connaissance soit [donnée] à Adam et à ceux avec lui, afin que les rois du chaos et du monde infernal ne les dominent pas ». Ce passage suggère que la connaissance donnée à Adam et à ses descendants – la race humaine – exerce un rôle protecteur et salvateur vis-à-vis des puissances de ce monde. Comme Bart Ehrman le souligne dans son texte (pp. 97-144), l'Évangile de Judas et Jésus lui-même dans cet évangile annoncent le salut par la connaissance – la connaissance intime de la divine lumière intérieure.

Les gnostiques évoqués par Irénée et autres ont constitué une école majeure de pensée religieuse et mystique jusque dans l'Antiquité tardive. Aujourd'hui les spécialistes se réfèrent communément à ses membres comme à des gnostiques séthiens, et quand nous évoquons les gnostiques de façon plus générale, nous étendons l'usage de ce terme aux gnostiques séthiens [28]. Les textes de Nag Hammadi, où l'intérêt pour Caïn est marqué, sont tous issus de cette école gnostique séthienne, et le Livre secret de Jean en est le texte fondamental. L'Évangile de Judas représente quant à lui une forme première de pensée séthienne chrétienne.

La confession centrale de Judas l'Iscariote [29], le héros de l'Évangile, permet de situer ce texte dans cette tradition. Les autres disciples se méprennent sur l'identité de Jésus et ils prétendent qu'il est le fils de leur Dieu, le Dieu de ce monde, mais Judas déclare à Jésus (Évangile de Judas 35) :

> Je sais qui tu es et d'où tu es venu. Tu es issu du Royaume immortel de Barbèlô. Et le nom de qui t'a envoyé, je ne suis pas digne de le prononcer.

Ce membre de phrase, « le Royaume [ou éon] immortel de Barbèlô », se retrouve souvent dans les textes séthiens. Il désigne le royaume exalté du divin au-delà de ce monde en y associant la figure divine de Barbèlô, figure éminente des écrits séthiens, qui assume fréquemment le rôle de notre mère au ciel.

L'origine de Barbèlô et de son nom demeure obscure, mais provient peut-être de l'ineffable nom en quatre lettres de Dieu, YHWH, ou Yahvé – Jehovah en anglais élisabéthain –, utilisé dans les Écritures et dans l'ensemble de la tradition juives. Le mot hébreu signifiant « quatre », *arba*, peut désigner le saint nom, et il ne peut que le nom de Barbèlô « condense » l'expression hébraïque suivante : « Dieu (*El*) en (*b*-) quatre (*arb*[*a*]) », c'est-à-dire : Dieu tel qu'il est connu par le nom ineffable [30].

Dans ce qui subsiste de l'Évangile de Judas, à la différence d'autres textes séthiens, la figure de Barbèlô n'est pas développée, elle n'acquiert pas la stature d'un personnage de drame mythique, et son identité demeure incertaine. Il n'est même pas clair qu'elle soit la Mère divine ; et nulle mention d'elle dans le récit de l'apparition d'Autogène, l'Auto-Engendré (Évangile de Judas 47). En fait, Barbèlô n'est mentionnée qu'une seule fois dans cet évangile, par Judas lui-même, et lorsque celui-ci évoque l'ineffabilité du nom divin, ce n'est pas sans rappeler le caractère sacré de ce nom dans la tradition juive. Judas confesse que Jésus procède du divin, et il ne prononce pas le nom du divin vainement.

Quel que soit le sens précis de son nom, Barbèlô devient dans les textes séthiens la divine créatrice de la lumière et de la vie, et la source – souvent la Mère – de l'Enfant divin. Si Jésus, comme Judas le confesse dans cet évangile, vient de l'immortel royaume de Barbèlô, c'est donc qu'il est lui aussi un être divin venu du royaume d'en haut.

John Turner, spécialisé dans l'étude des Séthiens, a brossé une description adéquate des figures cosmologiques les plus significatives de la pensée séthienne :

> Beaucoup de traités séthiens placent au sommet de la hiérarchie une suprême triade composée du Père, de la Mère et de l'Enfant. Les membres de cette triade sont l'Esprit invisible, Barbèlô, et le divin Autogène. L'Esprit invisible semble même transcender le royaume de l'être en soi, qui apparaît littéralement avec Barbèlô, son reflet projeté. L'Enfant est auto-engendré (*autogenes*) de Barbèlô, spontanément, ou à partir d'une étincelle de la lumière du Père, et il est responsable de l'ordonnancement du reste du royaume transcendant, structuré autour des Quatre Luminaires et des éons qui leur sont associés. Le royaume du devenir, de niveau inférieur, s'origine généralement dans la tentative de Sophia d'établir par elle-même sa propre contemplation de l'Esprit invisible, sans la permission de celui-ci ; dans bien des récits, cet acte produit sa progéniture difforme, l'Archonte, démiurge du monde phénoménal [31].

Les textes séthiens décrivent fréquemment le monde que nous habitons à partir d'éléments puisés dans leur interprétation des figures d'Adam et Ève, employées pour narrer une histoire singulière et révolutionnaire. Le créateur de ce monde n'est autre qu'un démiurge atteint de mégalomanie, mais les êtres humains sont exaltés au-dessus du créateur et de ses puissances en vertu de l'étincelle de divinité qui est en eux. S'ils viennent à connaître leur vrai moi divin, ils seront à même d'échapper aux griffes des puissances de ce monde, et de réaliser la paix de l'illumination.

Dans l'évangile qui nous occupe, Jésus révèle à Judas ce que lui et les lecteurs du texte doivent savoir pour parvenir à une compréhension appropriée de Jésus et de ce que réserve la vie dans le monde et au-delà. Mais l'Évangile de Judas est représentatif d'une pensée séthienne à ses débuts, dont les thèmes séthiens sont pas encore pleinement épanouis. Il nous offre ainsi un aperçu des Séthiens chrétiens engagés dans le processus de développement de leur version de la bonne nouvelle de Jésus.

Le Grand Esprit, Barbèlô, et Autogène l'Auto-Engendré

Ainsi l'Évangile de Judas proclame son message cosmologique concernant le divin et la nature du divin d'une façon typiquement séthienne. Barbèlô y est mentionnée, ainsi que le Père et Autogène l'Auto-Engendré. Comme dans de nombreux textes séthiens, le Père ou Parent de Tous est identifié au « Grand [Esprit] invisible » dans un passage de l'Évangile de Judas (47), et il est aussi décrit comme l'Esprit (49) et, enfin, comme « le Grand [Esprit] » (53). Il paraît inapproprié d'établir un rapport d'équivalence entre le Grand Esprit et « Dieu », ce dernier terme semblant uniquement réservé aux basses puissances de l'univers et au créateur de ce monde, à « tous ceux appelés "Dieu" » (48). Le Grand Esprit semble transcender dans ce texte le terme fini de *Dieu*. On trouve le même raisonnement théologique à l'œuvre dans le Livre secret de Jean (II, 2-3) :

> La Monade étant une monarchie sur laquelle ne s'exerce aucun pouvoir, – elle est le Dieu et Père de toutes choses, le Saint, l'Invisible établi au-dessus de toute chose, établi dans son incorruptibilité, établi dans cette lumière pure que la lumière oculaire ne peut regarder. Il est l'Esprit. Il n'est pas convenable de le penser comme dieu ou en des termes similaires, car il est plus qu'un dieu. Il est un pouvoir au-dessus duquel n'existe aucun pouvoir, car rien n'existe avant lui. – Il n'a pas non plus besoin de ce qui vient après lui : il n'a pas besoin de « Vie », car il est éternel. – Il n'a pas besoin de quoi que ce soit, car il est imperfectible, dans la mesure où il n'a pas de manque qui le rende perfectible [32].

La transcendance du Grand Esprit est mise en valeur dans l'Évangile de Judas. Lorsque Jésus révèle les secrets de l'univers à Judas, il utilise pour décrire le divin un langage rappelant notamment celui de la Première Épître aux Corinthiens (2, 9), de l'Évangile selon Thomas (17) et de la Prière de l'apôtre Paul trouvée dans la bibliothèque de Nag Hammadi [33]. Jésus dit (Évangile de Judas, 47) :

[Viens], que je t'instruise des [choses cachées] que nul n'a jamais vues. Car il existe un royaume grand et illimité, dont aucune génération d'anges n'a vu l'étendue, [dans lequel] il y a [le] Grand Esprit invisible,
qu'aucun œil d'ange n'a jamais vu,
qu'aucune pensée du cœur n'a jamais embrassé,
et qui n'a jamais été appelé d'aucun nom.

D'autres textes séthiens, notamment le Livre secret de Jean et Allogène l'Étranger, fournissent des descriptions plus étendues de la transcendance du divin. Dans le Livre secret de Jean (II, 3), le révélateur dit :

Il (l'Esprit) est l'illimité car nul n'existe avant lui pour le limiter. Il est l'indistinct car nul n'existe avant lui pour lui imposer une distinction. Il est l'incommensurable car personne d'autre ne l'a mesuré, qui existe avant lui. Il est l'invisible car nul ne l'a vu, lui cet Éternel toujours existant. Il est l'indicible car nul n'existe qui l'appréhende de façon à le dire. Il est l'innommable car il n'est personne qui existe avant lui pour le nommer.
Il est la lumière incommensurable, sans mélange, sainte et pure, – Il est l'indicible parfait et incorruptible. Il n'est ni perfection, ni béatitude, ni divinité,

mais une réalité supérieure à ces notions. Il n'est ni
infini ni limité, mais une réalité supérieure à ces
notions.

Il n'est ni corporel ni incorporel, ni grand ni petit.
Il est impossible à dire et ne peut être quantifié. Il
n'est pas une créature. Nul ne peut non plus le
penser [34].

Ces descriptions rappellent les paroles adressées
par Judas à Jésus dans la première scène de l'Évangile (35) : « Et le nom de qui t'a envoyé, je ne suis
pas digne de le prononcer. »

Autogène l'Auto-Engendré y est dépeint lorsque
Jésus révèle la glorieuse manière par laquelle le
divin s'étend de lui-même et arrive à sa pleine
expression (Évangile de Judas (47-50). Le Grand
Esprit, ou « Grand Esprit invisible », transcende
tous les aspects de ce bas monde de mortalité, de
sorte qu'une certaine manifestation du divin doit susciter la création et le salut du monde. Cette manifestation est Autogène l'Auto-Engendré. Jésus affirme
que d'une nuée lumineuse et céleste, brillant de
l'éclat du divin, surgit une voix divine appelant un
ange, et, sortant de la nuée, apparaît Autogène
l'Auto-Engendré. *Autogène* est un terme communément utilisé dans les textes séthiens pour caractériser
la progéniture de Barbèlô et souligner l'indépen-
dance de l'Enfant : cet Enfant – Autogène, donc – est

une personne apte à se motiver elle-même. Ce nom, Autogène, ou « Auto-Engendré », fonctionne particulièrement bien dans l'Évangile de Judas, où l'Auto-Engendré émerge tout simplement, par lui-même, de la nuée céleste, juste après l'appel de la voix.

Ailleurs dans la littérature séthienne, le récit de l'apparition de l'Enfant Autogène peut se révéler plus complexe, et, dans la version longue du Livre secret de Jean (II, 6), cette apparition est décrite de façon à suggérer un acte de rapport spirituel entre le Père transcendant et Barbèlô la Mère :

> Le Père regarda intensément Barbèlô, avec la pure lumière entourant l'Esprit invisible, et son éclat. Barbèlô enfanta de lui, et il produisit une étincelle de lumière similaire à la lumière bienheureuse, mais pas aussi grande. Ce fut l'unique Enfant du Père-Mère qui était venu, le seul rejeton, l'unique Enfant du Père, la pure lumière. L'invisible Esprit virginal se réjouit de la lumière qui était produite, issue de la première puissance de la Prescience de l'Esprit, qui est Barbèlô [35].

Dans l'Évangile de Judas (47), Jésus s'emploie à raconter comment quatre autres anges, ou messagers, appelés « luminaires », viennent à exister par l'entremise de l'Auto-Engendré, pour ensuite lui servir d'auxiliaires. D'autres récits séthiens nomment les Quatre Luminaires : Harmozel, Oroiael, Daveithai, et Eleleth [36]. Des nombres toujours croissants d'anges et d'éons – les êtres célestes – viennent à l'existence, « myriades innombrables » selon l'Évangile de Judas, tandis que se manifeste l'éclat du divin. Plus tard, l'expansion du divin s'étend aux éons, aux luminaires, aux cieux et aux firmaments de l'univers, et leurs nombres correspondent aux éléments du monde, particulièrement aux unités de temps. Il y a douze éons, le nombre de mois dans une année ou de signes dans le zodiaque. Il y a soixante-douze cieux et luminaires, le nombre coutumier de nations dans le monde selon la tradition juive. Il y a trois cent soixante firmaments, le nombre de jours dans l'année solaire (moins les cinq jours intercalaires). Le nombre vingt-quatre, celui des heures dans une journée, est également utilisé (Évangile de Judas 49-50).

Cette section de l'Évangile de Judas présente des parallèles tellement saisissants avec certains passages du texte intitulé Eugnoste le Bienheureux [37] et d'un texte apparenté, La Sagesse de Jésus-Christ, qu'il est raisonnable d'envisager une intertextualité entre ces trois écrits. L'auteur d'Eugnoste le Bienheureux décrit la production d'éons et autres puissances dans deux passages édifiants :

> Les douze puissances dont j'ai parlé précédemment, s'étant à leur tour unies, d'un commun accord,

les unes aux autres, se manifestèrent les entités masculines, six par six, les féminines, six par six, de manière à former soixante-douze puissances. Les soixante-douze manifestèrent chacune cinq entités spirituelles, ce qui fait trois cent soixante puissances. La réunion de tous constitue l'intervalle de temps. Ainsi donc, de l'Homme immortel notre éon est devenu la réplique ; le temps est devenu réplique du Premier-Parent, son fil[s ; l'année], la réplique du [Sauveur ; les] douze mois, la réplique des douze puissances. Les trois cent soixante jours inclus dans chaque année, c'est des trois cent soixante puissances, qui se sont manifestées dans le Sauveur, qu'elles devinrent la réplique. Les anges qui vinrent à l'existence à partir de ces dernières, et qui sont innombrables, elles en devinrent la réplique, les heures avec leurs fractions [38].

Certains même des demeures et des chars pleins de splendeur, indicibles, choses inexprimables par quelque créature que ce soit. Ils disposèrent à leur image des armées d'anges, des myriades innombrables à [leur] service et à [leur] gloire et, en outre, des esprits virginaux d'une lumière indicible. Il n'y a pour eux ni peine ni impuissance, mais c'est un pur désir qui se réalise à l'instant même [39].

Dans l'Évangile de Judas, ces réflexions théologiques, aussi compliquées et complexes soient-elles, mettent au jour une façon élaborée de penser le divin. Au commencement, est-il dit, il y a la déité infinie, innommable, ineffable – à supposer qu'on puisse appliquer le mot « déité » au Grand Esprit, ou, d'ailleurs, utiliser tout terme fini pour décrire l'Esprit. Le Grand Esprit se dilate au moyen d'éons et d'incalculables entités jusqu'à une plénitude de gloire divine qui illumine notre monde d'en bas. S'il n'était advenu une erreur tragique dans le royaume divin, un manque de sagesse, tout serait demeuré glorieux. Mais un manque est intervenu.

SOPHIA LA CORRUPTIBLE ET LE CRÉATEUR

D'après les textes séthiens, la disgrâce au commencement du temps fut un événement divin qui prit des proportions cosmiques. Dans la Bible, le troisième chapitre de la Genèse narre l'histoire d'Adam et Ève cédant à la volonté du serpent et mangeant à l'arbre de la connaissance du bien et du mal, contre la volonté de Dieu. Les textes séthiens évoquent une Sagesse divine, personnifiée par Sophia, qui partage des traits avec Ève et tombe dans une erreur qui entraîne de graves conséquences. L'Évangile de Judas tel qu'il nous est parvenu n'inclut pas l'histoire de Sophia et de sa chute. Il n'y est fait qu'une simple allusion dans une partie fragmentaire du texte où, sans grande explication, elle est appelée « Sophia la corruptible ». Après une lacune, il y a une référence à « la main qui a créé les mortels », qui permet de lier Sophia au dieu qui crée ce monde [40].

Dans le Livre secret de Jean (II, 9-10), la chute de Sagesse fait l'objet d'un récit assez détaillé :

> Donc, Notre consœur la Sagesse – qui est un éon – conçut une pensée de son propre chef. Pensant l'Esprit et la Prescience, elle voulut en manifester l'Idée par elle-même sans que l'Esprit se soit levé avec elle pour l'assister, sans même qu'il ait fait un signe d'assentiment, sans même que son conjoint, le virginal Esprit mâle, ait donné son consentement.
>
> C'est donc sans avoir trouvé celui qui parle d'une seule voix avec elle qu'elle donnera son consentement ; c'est sans le bon vouloir de l'Esprit et sans que celui qui parle d'une seule voix avec elle en ait eu connaissance qu'elle s'élança au-dehors. À cause de l'impétuosité qui est en elle, sa pensée ne pouvait être inopérante. Alors son œuvre sortit, imparfaite, laide d'aspect, parce qu'elle l'avait faite sans son conjoint. Et [cette œuvre] n'était pas non plus à la ressemblance maternelle mais d'une forme autre [41].

Dans la Lettre de Pierre à Philippe, le révélateur procure un détail crucial sur la chute de Mère Sophia. Dans la version contenue dans le Codex Tchacos (3-4), il dit :

> Pour commencer, [concernant] la déficience des éons, la déficience est la désobéissance. La Mère,

faisant montre de peu de jugement, vint à expression sans que l'ait ordonné le Grand Esprit. C'est lui qui souhaitait, depuis le début, instaurer des éons. Mais quand elle [parla], apparut l'Arrogant. Une partie corporelle issue d'elle fut laissée en arrière, et l'Arrogant s'en saisit, et la déficience vint à être. Voilà ce qu'il en est de la déficience des éons [42].

Le mot *déficience* [43] apparaît également dans l'Évangile de Judas (39). La déficience, ou diminution de la lumière divine, vient d'une méconception (selon le Livre secret de Jean) et d'un acte de désobéissance doublé d'une erreur de jugement (selon la Lettre de Pierre à Philippe). La Mère de la Lettre de Pierre à Philippe pourrait être ou Sophia ou Ève, et, considérant le rapport entre Sophia et Ève dans la littérature gnostique, cette ambiguïté peut être délibérée. Suivant le déroulement de l'histoire de Sophia dans la littérature religieuse, une part de l'esprit divin passe de Sophia à son enfant, le créateur de ce monde, qui plus tard insuffle cette part – pour engendrer l'humanité (Genèse 2, 7). Ainsi la perte de Sophia signifie que les êtres humains ont la lumière du divin en eux [44].

Telle est l'histoire de « Sophia la corruptible » dans l'Évangile de Judas. Tout ce qui est déficient dans le monde du divin et dans le monde ici-bas vient du manque de Sagesse, et quand la lumière intérieure aux êtres redevient une avec le divin, alors

Sophia est restaurée et la plénitude du divin est réalisée. Quelque chose de cette félicité peut être éprouvé dès à présent, comme le suggèrent les textes gnostiques, mais l'expérience finale de la plénitude du divin a lieu lorsque les personnes quittent leurs corps mortels. Dans l'Évangile de Judas (43), Jésus dit qu'à l'instant où trépassent ceux de la génération de Seth – les gnostiques – leurs corps physiques meurent en effet, mais leurs âmes demeurent vivantes et regagnent, libérées, leur demeure céleste. Lors de la mort, tout ce qui appartient au corps et habite ce monde de mortalité doit être abandonné. Les êtres de connaissance doivent renoncer à leurs corps mortels, dit Jésus à Judas, « afin que leurs âmes montent vers les Royaumes supérieurs » (Évangile de Judas 44).

Dans certaines traditions gnostiques, particulièrement les traditions valentiniennes, deux figures de Sagesse sont convoquées, haute Sagesse et basse Sagesse, probablement pour tenter de résoudre ce délicat problème : comment affirmer la suprême bonté du divin tout en constatant la réalité du mal dans un monde défectueux ? La théodicée, ou la question de l'existence du Mal, voilà qui aujourd'hui encore constitue une des questions théologiques les plus épineuses et les plus lourdes de sens qui soient. Qu'est-ce que le Mal, et d'où vient-il ? Dieu est-il d'une manière ou d'une autre impliqué dans le Mal ?

Dans l'Évangile valentinien de Philippe, la haute Sagesse est appelée Sophia ou Echamoth [45], et la basse Sagesse Echmoth, « la sagesse de la mort » (Nag Hammadi, Codex II, 60) ; et la haute Sagesse de Dieu est abritée du Mal de ce monde mortel. De la même manière, le Livre sacré du Grand Esprit invisible mentionne une « Sophia de matière [46] » (Nag Hammadi, Codex III, 57).

« Sophia la corruptible » de l'Évangile de Judas a-t-elle à voir avec les interprétations plus poussées de la Sagesse dans les textes gnostiques, voilà qui reste incertain. Ce qui est clair, c'est qu'elle est « corruptible ».

La progéniture de Sophia, le produit de son erreur, décrit comme un enfant difforme dans le Livre secret de Jean, et surnommé « l'Arrogant » dans la Lettre de Pierre à Philippe, constitue le premier gouverneur et le créateur de ce monde, bien connu d'après les textes séthiens. Dans l'Évangile de Judas comme dans d'autres traditions gnostiques, le créateur de ce monde n'est pas une figure tendre et douce. En tant que créateur et démiurge, il est responsable de l'incarcération de la lumière divine de Sophia dans des corps mortels. Dans l'Évangile de Judas (51), le créateur est nommé Nebrô et Ialdabaôth, et Saklas collabore avec lui. D'autres sources séthiennes [47] mentionnent ces trois noms sous diverses formes. *Ialdabaôth* veut probablement dire « enfant du chaos », et *Saklas* veut dire « insensé ». Le nom de Nebroel ou de Nebruel apparaît dans le Livre sacré du Grand Esprit invisible et dans diverses sources manichéennes ; dans l'Évangile de Judas, le nom de Nebrô est écrit sans le suffixe honorifique -*el* (« Dieu » en hébreu). Dans le Livre sacré (III, 57), Nebruel semble être un démon femelle qui fornique avec Saklas et donne naissance à douze éons [48].

Jésus, dans notre Évangile use d'un langage cru pour décrire à Judas le créateur de ce monde – un démiurge qui n'est pas un modèle de beauté. Jésus dit : « Et voici, de la nuée apparut un [ange] dont le visage jetait du feu et dont l'aspect était souillé de sang. » (51) Quand du feu jaillit de son visage [49], il ressemble à Ialdabaôth du Livre secret de Jean (II, 10), et quand il est souillé de sang, il ressemble à la « Sophia de matière » du Livre sacré du Grand Esprit invisible (III, 56-57).

Le créateur et ses valets, selon l'Évangile de Judas, créent le monde d'en bas avec le concours des gouverneurs, des anges et des puissances alentour. L'institution de la bureaucratie des puissances angéliques est détaillée dans un passage légèrement endommagé (51-52) :

> Les douze archontes parlèrent avec les douze anges : « Que chacun de vous [...] et qu'ils [...] génération (*une ligne perdue*) anges ! » :

Le premier est [Se]th, qu'on appelle Christ.
Le deuxième est Harmathôth, qui est [...]
Le [troisième] est Galila.
Le quatrième est Iôbêl.
Le cinquième [est] Adônaios [50].
Tels sont les cinq qui régnèrent sur le monde infernal, et d'abord sur le chaos.

Nous pouvons établir un parallèle avec des passages du Livre secret de Jean (II, 10-11) et du Livre sacré du Grand Esprit invisible (III, 58), qui exposent, de façon plus exhaustive, le même type de bureaucratie composée des gouverneurs du monde. Dans le Livre sacré du Grand Esprit invisible, on peut lire ceci :

Par la volonté de l'Auto-Engendré, [Sakla] le grand ange a dit : « Il y aura ... sept en nombre... »
Il a dit aux [grands anges] : « Allez, [chacun] de vous, régner sur votre propre [monde]. » Et chacun [de ces] douze [anges] de prendre congé.
[Le premier] ange est Athoth, que ceux [des grandes] générations appellent...
le deuxième est Harmas, [l'œil de feu],
le troisième [est Galila],
le quatrième est Iôbêl,
[le cinquième est] Adônaios, qu'on [appelle] Sabaôth,
le sixième est [Caïn, que] ceux [des grandes générations] appellent le soleil,

le [septième est Abel],
le huitième, Akiressina,
le [neuvième, Youbel],
le dixième est Harmoupiael,
le onzième est Archir-Adonin,
le douzième [est Belias],
Ceux-là sont au-dessus de l'Hadès [et du chaos].

Dans le Livre secret de Jean, il est affirmé que sept (anges) sont placés au-dessus des sept sphères du ciel (le soleil, la lune, Mercure, Vénus, Mars, Jupiter et Saturne) et cinq autres (anges) au-dessus des profondeurs de l'abysse.

Dans l'Évangile de Judas, les bureaucrates de ce monde sont à pied d'œuvre, et cet abysse qu'est le monde – le cosmos, « perdition » ou « corruption » selon l'Évangile de Judas (50) – est prêt à être occupé. Il n'attend plus qu'une famille de locataires.

Seth et la création d'Adam et Ève

Seth [51], le troisième fils d'Adam et Ève, est une figure de poids dans l'Évangile de Judas. Seth (aussi appelé Christ) y apparaît comme gouverneur angélique du monde, avec des références à la « génération de Seth » (dite aussi « la grande génération », « cette génération », et « la génération sans gouverneur au-dessus d'elle ») ainsi qu'aux parents de Seth,

Adam et Ève, sans oublier Adamas, décrit comme le céleste Adam dans une nuée de lumière. Qu'est-ce que tout cela signifie ? Dans la Bible, la première famille est l'exemple même d'une « famille à problèmes » : les parents se mettent pour ainsi dire en délicatesse avec Dieu et sont chassés de leur demeure arborée, et les deux premiers garçons, Caïn et Abel, connaissent l'un comme l'autre une fin mauvaise. Seth, rapporte la Genèse (4, 25), est né d'Adam et Ève comme un autre fils – « une autre semence » – produit à l'image d'Adam, tout comme Adam a été produit à l'image de Dieu. Il est celui qui perpétue la descendance d'Adam, sa famille. Plus loin, la Genèse rapporte que Seth lui-même eut un fils, Énoch, et ce fut à cette époque qu'on commença à invoquer le Seigneur Yahvé sous son saint nom.

C'est apparemment parce que Seth est « une autre semence » qu'il hérite de l'épithète « Allogène », signifiant en grec « d'une autre espèce » ou « étranger ». J'ai déjà évoqué un texte séthien du onzième Codex de Nag Hammadi, intitulé Allogène, ou Allogène l'Étranger ; l'« Apocalypse d'Allogène » citée par l'auteur néoplatonicien Porphyre de Tyr pourrait bien être ce même texte (*Vie de Plotin*, 16). Épiphane de Salamine se réfère quant à lui à de multiples livres d'Allogène (ou, au pluriel, des Allogènes ; *Panarion* 39, 5, 1).

Un fragment du texte identifié comme le quatrième et dernier traité du Codex Tchacos, venant immédiatement après l'Évangile de Judas, s'est vu donner le titre provisoire de « Livre d'Allogène » en raison du nom du protagoniste principal. On peut se demander si ce texte ne serait pas un de ces autres livres d'Allogène. Dans ce dernier traité, tout comme dans d'autres textes séthiens chrétiens, Allogène prend le rôle de Jésus. Jésus est Seth l'Étranger incarné en sauveur chrétien, et, en la personne d'Allogène, il fait face aux tentations de Satan puis se trouve transfiguré dans une nuée lumineuse – tout comme Judas est transfiguré au sein d'une nuée lumineuse dans l'Évangile de Judas (57-58).

De façon toute platonicienne, en accord avec les intérêts platoniciens de la tradition séthienne, Adam dans l'Évangile de Judas est à la fois une figure idéale de l'humanité d'en haut et une figure terrestre d'ici-bas. Appelé Adamas (probablement en jouant sur le mot grec *adamas*, « dur comme le fer », « incassable »), il « existait dans la première nuée lumineuse, celle qu'aucun ange n'avait jamais vue, parmi tous ceux appelés "Dieux" » (48). Référence est faite un peu plus loin à « la génération incorruptible de Seth » (49). Bien que Seth ne soit pas ici explicitement placé, comme dans d'autres textes séthiens, avec Adamas dans les royaumes divins, Jésus déclare que « avant le ciel, la terre et les anges cette génération-là (la génération de Seth), qui est issue de ces Royaumes, existe » (57). Une telle affirmation de l'origine exaltée de la génération de Seth laisse entendre que ce dernier est aussi supposé être une figure exaltée dans les royaumes divins.

Le Livre secret de Jean (II, 9) expose cela de façon plus détaillée [52] : le céleste Adamas réside dans le premier éon avec le premier luminaire Harmozel, rappelant de quelque manière la demeure céleste d'Adamas dans l'Évangile de Judas, et Seth réside dans le deuxième éon avec le deuxième luminaire Oroiael. La semence de Seth demeure elle aussi dans le ciel, comme dans l'Évangile de Judas ; d'après le Livre secret de Jean, la semence de Seth est dans le troisième éon avec le troisième luminaire Daveithai. Toujours selon ce texte, le céleste Adam est nommé Pigeradamas (ou Geradamas) – « Adam l'étranger », « le saint Adam », ou « le vieil Adam » [53].

Que le céleste Adamas soit mentionné dans l'Évangile de Judas comme habitant la première nuée lumineuse signifie qu'il demeure dans la gloire du divin, près du Grand Esprit. Cette proximité d'Adam [54], humanité idéale, et du Grand Esprit, confirme ce qui a été suggéré par Hans-Martin Schenke : il a vu un lien prégnant entre la déité suprême dans la pensée gnostique et l'humain archétypal, de sorte que, de diverses façons et selon différents schémas, l'humanité transcendante vient à être associée avec l'Esprit transcendant. Ce rapport entre Dieu et Homme dans les textes séthiens est exemplifié dans la révélation primordiale du divin contenue dans le Livre secret de Jean, où la voix divine clame d'en haut : « L'humanité existe, et l'enfant de l'humanité » (ou : « L'homme existe, et le fils de l'homme » ; Livre secret de Jean II, 14).

Aussi concise soit-elle dans l'Évangile de Judas (52), l'histoire de la création terrestre d'Adam et Ève et de leurs enfants est exprimée en termes bibliques et platoniciens : « Alors Saklas dit à ses anges : "Créons un être humain selon la ressemblance et selon l'image." » C'est là suivre le récit de la Genèse tout en l'interprétant en termes platoniciens et gnostiques. Dans la Genèse (1, 26), il est dit que le créateur fait l'humanité à l'image et à la ressemblance du divin, ce qui, dans les traditions séthiennes, est ainsi interprété : le terrestre Adam est façonné d'après l'image idéale du céleste Adamas. Cette idée gnostique d'un gouverneur de la terre créant les êtres humains ici-bas d'après l'image et sous la forme de l'humain transcendant du céleste royaume d'en haut est similaire à la croyance platonicienne qui veut que le démiurge crée le monde sur la base de formes et d'idées du royaume des idées.

D'autres textes gnostiques, dont certains d'inspiration séthienne, offrent de semblables réflexions sur la Genèse (1, 26). Dans la Lettre de Pierre à Philippe

(4), Jésus décrit ainsi l'œuvre créatrice de l'Arrogant : « Il voulut modeler image pour [image] [55] et forme pour forme. » Dans le Livre secret de Jean (II, 14-15) le récit est beaucoup plus développé, et une distinction est opérée entre la création selon l'image du divin et la création selon la ressemblance des archontes et des autorités du monde :

> Une voix provenue de l'exalté royaume céleste appela : « L'humanité existe, et l'enfant de l'Homme. » Le premier gouverneur Ialdabaôth entendit la voix mais il crut que c'était celle de sa mère. Il ne comprit pas d'où elle venait. Le saint et parfait Père-Mère, la complète Prescience, l'image de l'Invisible, étant le Père de Tout et Tous, par lequel chaque chose vient à être, l'humain primordial – c'est celui qui leur montra et apparut sous forme humaine. Tout le royaume du premier gouverneur frémit, et les fondations de l'abysse furent secouées. Le fond des eaux au-dessus du monde matériel fut illuminé par cette image qui était apparue. Lorsque toutes les autorités et le premier gouverneur regardèrent cette apparition, ils virent que le fond entier était illuminé. Et grâce à cette lumière ils virent la forme d'une image dans l'eau. Iadalbaôth dit aux autorités qui l'accompagnaient : « Allons, créons un être humain à l'image de Dieu et à notre ressemblance, afin que cette image humaine puisse nous dispenser de la lumière. » Ils créèrent par leurs puissances respectives, d'après les traits

qui leur avaient été donnés. Chaque autorité apporta un trait psychique correspondant à la figure de l'image qu'elle avait vue. Ils créèrent un être semblable au premier humain parfait et dirent : « Appelons-le Adam, afin que son nom puisse nous donner le pouvoir de la lumière. »

L'Évangile de Judas met l'accent sur certaines considérations astronomiques et astrologiques, particulièrement le rôle des étoiles et des planètes dans la vie humaine, et cette accentuation semble elle aussi procéder de thèmes platoniciens. Il est d'autres textes séthiens où sont commentées les façons dont les puissances du ciel gouvernent les êtres, mais cet Évangile dit précisément qu'une personne a une âme donnée et est guidée par une étoile. Jésus y explique à Judas que les êtres ont des âmes, mais que seuls les êtres de la génération de Seth ont une âme immortelle (43) :

> Les âmes de chaque génération humaine mourront. Mais lorsque ces personnes auront consommé leur temps de royaume, et que l'esprit s'en séparera, leurs corps mourront mais leurs âmes recevront la vie, et elles seront emportées en haut.

Ici et ailleurs dans le texte, l'esprit d'une personne peut être placé en contraste avec son âme. L'esprit peut être le souffle de vie, tandis que l'âme peut être la personne intérieure qui provient du divin et y retourne. Ce contraste aide à expliquer ce qu'entend Jésus quand il enseigne à Judas la chose suivante : si les êtres ordinaires ont en eux des esprits pour une période de temps limitée, les êtres de la génération de Seth, eux, ont à la fois les esprits et les âmes du Grand Esprit (Évangile de Judas 54). Jésus évoque aussi les étoiles, et il fait remarquer à Judas et aux autres disciples : « Chacun de vous a sa propre étoile. » (43)

Cet intérêt pour les âmes et les étoiles rappelle certains énoncés de Platon sur les âmes, les étoiles et la création du monde. Dans le *Timée* (41d-42b), Platon fait citer à Timée une déclaration du créateur du monde, puis Timée commente la façon dont les âmes sont assignées aux étoiles :

> Ainsi parla-t-il ; puis, revenu au cratère dans lequel il avait auparavant composé par un mélange l'âme de l'univers, il s'employa à fondre le reste des ingrédients utilisés antérieurement, en réalisant presque le même mélange, un mélange dont les ingrédients n'étaient presque plus aussi purs qu'avant, mais qui était de second et de troisième ordre. Après avoir mélangé le tout, il divisa le mélange en autant d'âmes qu'il y a d'astres, et il affecta chaque âme à un astre.
>
> Et, y ayant fait monter les âmes comme sur un char, il leur révéla la nature de l'univers, et leur

exposa les lois de la destinée : la première naissance serait établie identique pour tous, afin qu'aucune ne fût moins bien traitée par lui ; il fallait que, disséminées dans les instruments du temps, chacune dans celui qui lui convenait, l'âme devînt la créature qui, parmi les vivants, vénérât le plus les dieux ; et puisque la nature humaine est double, voilà quelle serait l'espèce la meilleure, celle qui par la suite allait être appelée « mâle ». [...] Et celui qui aurait vécu, comme il faut, le temps prévu, celui-là retournerait, dans l'astre qui lui a été affecté, pour y habiter, pour y vivre une vie bienheureuse et conforme à sa condition [56].

L'étoile natale de Judas est bénie, dit Jésus à celui-ci un peu avant la fin de l'Évangile de Judas. Judas peut être destiné à souffrir, comme il en est prévenu à travers tout le texte, et il deviendra le treizième, le réprouvé du cercle des douze disciples, maudit par d'autres et remplacé dans le cercle des douze par un autre (Évangile de Judas 35-36 ; Actes 1, 15-26). Aussi Jésus appelle-t-il Judas le « treizième esprit », littéralement le « treizième démon » (Évangile de Judas 44), recourant au terme employé par Platon pour définir l'esprit guidant Socrate et d'autres. Malgré toutes les difficultés et l'adversité que Judas va rencontrer, Jésus promet que l'avenir lui apportera bénédiction et joie, et, comme Bart Ehrman le note dans son texte (pp. 97-144), le chiffre treize se révèle porter chance à Judas. Jésus dit à Judas de lever les yeux et de voir que, parmi toutes les étoiles, la sienne montre le chemin (Évangile de Judas 57).

Vers le milieu du IIIe siècle, les textes séthiens qui incorporaient ces thèmes platoniciens [57] et de nombreux concepts issus du moyen platonisme et du néoplatonisme étaient en circulation ; certains d'entre eux furent discutés et critiqués par le philosophe néoplatonicien Plotin et par les étudiants de l'école philosophique qu'il tenait à Rome. Ces textes séthiens platonisants qu'on lisait à Rome peuvent inclure des traités de la bibliothèque de Nag Hammadi, comme Allogène l'Étranger. L'un des griefs des platoniciens à l'encontre des gnostiques et de leurs écrits était qu'ils avaient des mots trop durs envers le démiurge – Nebrô, Ialdabaôth, Saklas – et le dépeignaient de façon par trop négative. Il est vrai que les textes séthiens n'ont pas dit grand bien du créateur de ce monde. Néanmoins, il est manifeste que certains auteurs, dont celui de l'Évangile de Judas, ont embrassé des thèmes hérités de Platon, et, à leur tour, les ont « travaillés » pour les faire entrer dans leur appréhension du divin et de l'univers.

Comme j'ai tenté de le montrer, l'Évangile de Judas semble être un évangile séthien chrétien de la première époque, et son message est celui-ci : tout comme Jésus est un être spirituel, venu d'en haut et qui retournera à la gloire, les vrais compagnons de Jésus sont des êtres à l'âme bien trempée, dont l'être et la destinée participent du divin. Ceux qui se connaissent eux-mêmes peuvent vivre déjà dans la force de la personne intérieure, de « l'homme parfait » que Jésus commente à ses disciples (Évangile de Judas 35). À la fin de leurs vies mortelles, les êtres qui appartiennent à cette grande génération de Seth abandonneront tout de ce monde mortel afin de libérer la personne intérieure ainsi que son âme.

Dans l'Évangile de Judas, ce genre de sacrifice est ce que Jésus demande à son ami cher, le plus perspicace de ses disciples. Il demande à Judas son aide pour le libérer de son corps mortel en le livrant aux autorités. D'autres font des sacrifices, lui dit Jésus, mais ce que Judas va accomplir est le don suprême entre tous. Et Jésus d'ajouter : « Mais toi, tu les surpasseras tous. Car tu sacrifieras l'homme qui me sert d'enveloppe charnelle » (56). Judas ne peut moins faire pour son ami et âme sœur, et il le trahit. Telle est la bonne nouvelle de l'Évangile de Judas.

Les enseignements de cet évangile sont bien ceux de Jésus le sauveur chrétien, et l'histoire rapporte en effet la trahison de Jésus par Judas. Pourtant l'instruction majeure donnée par Jésus sur la cosmologie et les choses secrètes de l'univers (Évangile de Judas, 47-53) contient très peu d'éléments pouvant être considérés comme spécifiquement chrétiens. Ce récit cosmologique est fondé sur des concepts novateurs juifs et des interprétations de l'Écriture juive, et on y décèle l'influence d'idées platoniciennes ; le seul élément incontestablement chrétien dans tout le récit est l'abrupte référence à Seth : « Le premier est [Se]th, qu'on appelle Christ » (52). Ainsi le récit cosmologique semble avoir eu son origine dans un contexte juif séthien, et il a été repris, absorbé et légèrement christianisé pour en faire l'enseignement de Jésus. En d'autres termes, dans l'Évangile de Judas, un enseignement séthien et juif est transformé en un enseignement séthien et chrétien. Pareille transformation est également manifeste ailleurs dans la littérature gnostique. Le Livre secret de Jean est un autre texte séthien qui semble avoir été composé comme un document gnostique juif, puis légèrement christianisé pour composer l'enseignement et la révélation de Jésus. De même, Eugnoste le Bienheureux est un texte gnostique juif, sous forme épistolaire, qui a été modifié et augmenté pour devenir les enseignements de Jésus dialoguant avec ses disciples, dans La Sagesse de Jésus-Christ.

Jésus est donc considéré dans l'Évangile de Judas comme l'enseignant et le révélateur de la connaissance. Il vient du divin et retournera au divin, et il instruit Judas ainsi que les membres de la génération de Seth. Dans d'autres textes séthiens chrétiens, Jésus endosse un rôle similaire, et il est communément associé à Barbèlô, Autogène l'Auto-Engendré, et à Seth. Dans le Livre secret de Jean (II, 6-7), le Christ est identifié à l'Auto-Engendré et il devient le fils de la divine Barbèlô. Dans le Livre sacré du Grand Esprit invisible, Seth est vêtu du « Jésus vivant », et Jésus devient l'incarnation de Seth. Dans le Livre d'Allogène du Codex Tchacos, Jésus est présenté comme Allogène l'Étranger, une forme de Seth. Dans les Trois Formes de la première pensée, le *Logos* ou Verbe, lié à Seth, annonce qu'il a « porté » Jésus et l'a transporté du bois maudit (Codex XIII, 50, Nag Hammadi). Jésus se trouve aussi associé à Barbèlô dans l'Évangile de Judas, mais la nature de leur relation est peu claire ; et le rapport de Jésus avec Autogène l'Auto-Engendré, si rapport il y a, n'est pas cernable. La seule connexion explicite entre Jésus et Seth dans l'Évangile de Judas se trouve dans la liste des figures angéliques qui règnent sur le chaos et le monde infernal.

Des questions demeurent en suspens sur les faisceaux d'associations et de relations entourant Jésus dans l'Évangile de Judas, mais pas sur ce qu'il proclame. Jésus proclame un message mystique d'espoir et de liberté, articulé en des termes gnostiques séthiens. Il quitte Judas et les lecteurs de l'Évangile sur une parole illuminante et libératrice, enjoignant à Judas de regarder les étoiles : « Lève tes yeux, et vois là nuée, et la lumière qui s'y déploie, et les étoiles qui l'entourent ! L'étoile qui est en tête de leur cortège est ton étoile ! » (57)

NOTES

1. Le lecteur curieux qui voudrait explorer cette zone de pénombre pourrait lire avec quelque profit le livre de Herbert KROSNEY, *L'Évangile perdu. La véritable histoire de l'Évangile de Judas*, Paris, Flammarion, 2006. Il se défiera cependant de la « littérature de boulevard » gravitant autour de ce sujet, véhiculant des informations souvent d'origine tendancieuse et douteuse, parsemées de « piques » en forme de règlements de comptes (voir sur Internet le site agressif de Michel Van Rijn/art news/3.12.04 ; Watani International 10.07.05 ; The Christian Century Magazine 27.12.05 ; etc.).

2. Voir Herbert KROSNEY, *L'Évangile perdu. La véritable histoire de l'Évangile de Judas*, Paris, Flammarion, 2006.

3. On connaît les excès de sa diatribe « The Jung Codex, the Rise and Fall of a Monopoly », *Religious Studies Review*, 3, 1977, pp. 17-30. Robinson jette un regard particulièrement critique sur les membres francophones (M. Malinine, H.-C. Puech,

puis R. Kasser depuis 1968) du Comité d'édition des textes du Codex Jung (= Codex I de Nag Hammadi). Il les accuse (injustement) d'avoir, par des manœuvres dilatoires, retardé de plusieurs années l'achèvement de l'édition princeps de ces textes, afin de conserver le plus longtemps possible leur monopole de la connaissance de ceux-ci. Or la réalité est exactement l'inverse de ces allégations. Ce comité a géré pendant vingt-trois ans (1952-1975) les folios de ce codex déposés en Suisse (deux tiers du tout, le dernier tiers étant resté en Égypte). Pour faciliter son édition complète, l'accord suivant avait été conclu entre ce comité et l'État égyptien. L'Égypte fournissait à l'organisme suisse de bonnes photographies des pages restées au Caire, et l'autorisait à les publier en édition princeps. Dès que l'ensemble du manuscrit était ainsi publié, cet organisme rétrocédait à l'Égypte tous les folios de ce codex qu'elle avait gérés jusqu'ici. Tout retard dans l'édition entraînait donc un retard dans la rétrocession. Le contenu du codex était de 138 pages (très difficiles), dont les dernières furent publiées en 1975. L'application de cet accord fonctionna correctement jusqu'en 1968, où surgit un obstacle que le comité fut obligé d'éliminer. Le comité eut alors besoin des photographies égyptiennes pour achever sa tâche. L'un de ses membres (non francophone) devant se rendre au Caire, il fut convenu qu'il prendrait livraison des photographies promises et qu'il les rapporterait à Zurich. Il en prit livraison, mais conserva ensuite ces documents pour son usage exclusif, bloquant ainsi tout progrès de l'édition. Pour sortir de cette impasse, dès 1968, le comité s'adjoignit R. Kasser, qui devait se rendre au Caire lui aussi, quelques mois plus tard. Il parvint à y obtenir une seconde série, complète, des mêmes images, qu'il consigna au comité. Le travail d'édition put donc progresser à nouveau, fut mené promptement à terme, la rétrocession papyrologique à l'Égypte suivit aussitôt, de bonne grâce, sans l'action d'aucune pression externe... mais l'accapareur de la première série de photographies, dépossédé de son monopole injustement acquis, en fut outré. Dans son dépit, il diffusa la légende (acceptée par J. M. Robinson sans contrôle) selon laquelle les retards dans l'achèvement de l'édition et la rétrocession des parties « suisses » du codex étaient à mettre au compte de R. Kasser, non à celui de l'accapareur.

4. L'Égypte de cette époque a deux langues populaires dites « langues coptes », vraiment égyptiennes, autochtones, qui, depuis peu de temps, avec l'avènement de religions nouvelles (christianisme, gnose, etc.) sont devenues littéraires et ont supplanté l'égyptien ancien, dit « pharaonique », traditionnel et trop lié à la religion païenne du pays (l'égyptien traditionnel s'écrit au moyen de signes hiéroglyphiques ou démotiques, systèmes très compliqués, alors que l'alphabet copte est l'alphabet grec, complété par 6 ou 7 signes supplémentaires, pour rendre des sons que le grec n'a pas). Les deux langues coptes (dites aussi langues véhiculaires, suprarégionales) sont les suivantes, du nord au sud. La *langue bohairique* (encore en usage aujourd'hui dans la liturgie copte, chrétienne orthodoxe) régnait sur le delta du Nil (entre le nord du Caire et la mer Méditerranée). La *langue saïdique* régnait sur toute la vallée du Nil en territoire égyptien, du Caire à Assouan, soit sur la Moyenne-Égypte et sur la Haute-Égypte. Dans tout ce territoire, on parlait aussi divers dialectes locaux (peu utilisés dans l'écriture). Il arrivait assez fréquemment qu'un copiste campagnard, chargé de produire une belle copie saïdique, se laisse influencer, par négligence, par la prononciation et l'orthographe de son milieu local, et utilise ici ou là, en minorité, une forme régionale, qu'on qualifiera alors d'« idiolectale ». Par exemple, le mot « nuage » est kʲêpe en saïdique (et aussi en dialecte régional mésokémique), alors qu'il est kʲêpi dans diverses variétés dialectales régionales de type fayoumique,

non seulement dans le Fayoum proprement dit, mais encore dans la basse vallée du Nil moyenne-égyptienne à proximité du Fayoum. Or si, dans notre codex, l'orthographe saïdique correcte kⁱêpe est la plus courante, on y trouve cependant aussi quelques kⁱêpi idiolectaux.

5. Irénée de Lyon, *Contre les hérésies*, Paris, Éditions du Cerf, 2001.

6. « I strongly urge you to acquire this gnostic codex. It is of the utmost scholarly value, comparable in every way to any one of the Nag Hammadi codices. »

7. Évangile de Jean (8, 7). Traduction par R. Kasser, à partir du grec.

8. Évangile de Matthieu (26, 41). Traduction par R. Kasser, à partir du grec.

9. Le copte est la langue du christianisme égyptien et constitue la dernière phase de la langue égyptienne, à savoir la langue des pharaons, écrite avec les lettres de l'alphabet grec, plus quelques lettres additionnelles venues du démotique, une forme cursive d'écriture hiéroglyphique. Le saïdique est un des deux principaux dialectes de la langue copte.

10. Des photographies des principales parties des quatre premières pages de ce texte, accompagnées d'autres des deux dernières pages de l'Évangile de Judas, ont circulé ces dernières années parmi les spécialistes. On en a déduit que ces quatre pages faisaient elles aussi partie de l'Évangile. Cependant, l'analyse du papyrus, qui sera publiée dans l'édition critique à venir, a prouvé qu'elles constituent le début d'un quatrième traité dont le titre mal préservé peut être ainsi restauré : « Le L[ivre d'Allogène] ».

11. Sur la signification des termes « gnose » et « gnostiques », voir le texte de Marvin Meyer dans ce volume, p. 162.

12. Irénée de Lyon, *Contre les hérésies*, Paris, Éditions du Cerf, 2001, pp. 132-133.

13. Sur Esaü, voir Genèse (25, 19-34 ; 27, 32-33) ; sur Coré, voir Genèse (36, 5) et Nombres (16-17) ; et sur les Sodomites, voir Genèse (18-19).

14. Voir Birger A. PEARSON, *Gnosticism, Judaism, and Egyptian Christianity*, Minneapolis, Fortress, « Studies in Antiquity and Christianity », 1990, pp. 95-107. Pearson soutient qu'aucune secte gnostique composée de caïnites n'a jamais existé dans l'Antiquité. Selon lui, « la gnose caïnite, définie comme telle par les hérésiologues, n'est rien d'autre qu'une invention de leur imagination, une construction artificielle ».

15. Pour un examen exhaustif des anciennes sources chrétiennes ayant trait aux caïnites et à l'Évangile de Judas, voir l'article de Clemens SCHOLTEN, « Kainiten », in *Reallexikon für Antike und Christentum*, Stuttgart, Anton Hiersemann, 2001, n° 19, pp. 972-973 ; voir également Wilhelm SCHNEEMELCHER (éd.), *New Testament Apocrypha*, trad. anglaise éd. par Robert MCLACHLAN WILSON, éd. rév., Cambridge-Louisville (Kentucky), James Clarke-Westminster/John Knox Press, 1991-1992, t. I, pp. 386-387.

16. *De praescriptionibus adversus haereticos*, trad. de Joseph Gaume, Paris, Bibliothèque des classiques chrétiens grecs et latins, 1891, pp. 85-86.

17. Il en va de même pour le fameux Évangile selon Thomas, aussi principalement connu par une traduction copte incluse dans le Codex II, 2 de Nag Hammadi. De surcroît subsiste un autre Évangile selon Thomas, qui appartient aux pseudo-évangiles de l'enfance et dont le contenu diffère complètement du texte de Nag Hammadi.

18. Comme l'a justement pointé Clemens Scholten (« Kainiten », in *Reallexikon für Antike und Christentum*, Stuttgart, Anton Hiersemann, 2001, n° 19, p. 975). Scholten a même douté que la dernière phrase de l'exposé d'Irénée présupposait l'existence réelle d'un écrit intitulé Évangile de Judas.

19. Le mot latin *adferunt*, utilisé par le traducteur d'Irénée, peut être traduit par : « ils présentent », ou « ils exhibent », voire « ils produisent », de sorte que l'interprétation de cette phrase dépend grandement de la traduction adoptée.

20. Cette interprétation est également celle de Hans-Josef Klauck ; voir son *Judas. Ein Jünger des Herrn*, Fribourg, Herder, « Quaestiones Disputatae », n° 111, 1987, pp. 19-21.

21. Sur « cette génération-là » et la progéniture de Seth, voir le texte de Marvin Meyer dans ce volume, p. 15.

22. À qui ou à quoi ce sujet pronominal réfère est peu clair. Dans le texte copte, il réfère à un antécédent masculin.

23. Cela est dû au fait qu'aucune version du Livre secret de Jean transmise par les différents témoignages coptes ne peut être identifiée comme la source d'Irénée dans *Contre les hérésies* (I, 29, 1). En fait, le Livre secret de Jean a été l'objet d'importantes modifications éditoriales dans l'histoire de sa transmission, de sorte que chaque théorie identifiant telle ou telle forme textuelle comme originale repose sur de considérables travaux de critique littéraire et reste donc conjecturale ; voir John D. TURNER, *Sethian Gnosticism and the Platonic Tradition*, Sainte Foy (Québec)-Louvain, Presses de l'Université Laval-Peeters, « Bibliothèque copte de Nag Hammadi », section « Études » n° 6, 2001, pp. 136-141.

24. Sur les hérésiologues et l'Évangile de Judas, voir le texte de Gregor Wurst dans ce volume, pp. 145-160. Ici et par la suite, on se réfère au traité d'Irénée, *Contre les hérésies* (I, 31, 1) et au *Panarion* d'Épiphane (38, 1-3). Pour les traductions des textes d'Irénée et d'autres d'hérésiologues contre les pseudo-caïnites, voir Werner FOERSTER (éd.), *Gnosis. A Selection of Gnostic Texts*, Oxford, Clarendon Press, 1972-1974, t. I, pp. 41-43 ; et (sur Irénée seulement) Bentley LAYTON, *The Gnostic Scriptures. A New Translation with Annotations and*

Introductions, Garden City, New York, Doubleday, 1987, p. 181.

25. Sur la bibliothèque de Nag Hammadi, voir Jean-Pierre MAHÉ et Paul-Hubert POIRIER (éd.), *Écrits gnostiques*, Paris, Gallimard, « Bibliothèque de la Pléiade », [en préparation] ; Marvin MEYER, *The Gnostic Discoveries. The Impact of the Nag Hammadi Library*, San Francisco, HarperSanFrancisco, 2005 ; Marvin MEYER (éd.), *The Nag Hammadi Scriptures. The International Edition*, San Francisco, HarperSanFrancisco, [en préparation] ; James M. ROBINSON (éd.), *The Nag Hammadi Library in English*, San Francisco, HarperSanFrancisco, 3ᵉ éd., 1988 ; Hans-Martin SCHENKE, Hans-Gebhard BETHGE et Ursula ULRIKE KAISER, (éd.), *Nag Hammadi Deutsch*, Berlin, Walter de Gruyter, « Die Griechischen Christlichen Schriftsteller der ersten Jahrhunderte », Neue Folge nᵒˢ 8 et 12, 2001-2003, 2 vol.

26. Sur l'emploi du mot « gnostique » et des termes qui y sont apparentés, et sur la nature de la pensée gnostique, voir Bentley LAYTON, *The Gnostic Scriptures. A New Translation with Annotations and Introductions*, Garden City, New York, Doubleday, 1987 ; Bentley LAYTON, « Prolegomena to the Study of Ancient Gnosticism », in L. Michael WHITE et O. Larry YARBROUGH (éd.), *The Social World of the First Christians. Essays in Honor of Wayne A. Meeks*, Minneapolis, Fortress, 1995, pp. 334-350 ; Antti MARJANEN (éd.), *Was There a Gnostic Religion ?*, Göttingen, Vandenhoeck und Ruprecht, « Publications of the Finnish Exegetical Society », nᵒ 87, 2005 ; Marvin MEYER, *The Gnostic Discoveries. The Impact of the Nag Hammadi Library*, San Francisco, HarperSanFrancisco, 2005, pp. 38-43 ; Marvin MEYER, *The Gnostic Gospels of Jesus. The Definitive Collection of Mystical Gospels and Secret Books about Jesus of Nazareth*, San Francisco, HarperSanFrancisco, 2005, pp. X-XIII ; Marvin MEYER, « Gnosticism, Gnostics

and *The Gnostic Bible* », in Willis BARNSTONE et Marvin MEYER (éd.), *The Gnostic Bible*, Boston, Shambhala, 2003, pp. 1-19 ; Birger A. PEARSON, *Gnosticism and Christianity in Roman and Coptic Egypt*, New York, Clark International, « Studies in Antiquity and Christianity », 2004, pp. 201-223 ; Kurt RUDOLPH, *Gnosis. The Nature and History of Gnosticism*, trad. anglaise et éd. Robert MCLACHLAN WILSON, San Francisco, HarperSanFrancisco, 1987.

27. Voir Karen L. KING, *What Is Gnosticism ?*, Cambridge, Massachusetts, Belknap Press-Harvard University Press, 2003 ; Michael A. WILLIAMS, *Rethinking « Gnosticism ». An Argument for Dismantling a Dubious Category*, Princeton, New Jersey, Princeton University Press, 1996.

28. Voir Hans-Martin SCHENKE, « The Phenomenon and Significance of Sethian Gnosticism », in *The Rediscovery of Gnosticism. Proceedings of the International Conference on Gnosticism at Yale, New Haven, Connecticut, March 28-31, 1978*, Leyde, E. J. Brill, « Studies in the History of Religions » (supplément au numéro), n° 41, 1980-1981, t. II, pp. 588-616 ; Hans-Martin SCHENKE, « « Das sethianische System nach Nag-Hammadi-Handschriften », in Peter NAGEL (éd.), *Studia Coptica*, Berlin, Akademie Verlag, 1974, pp. 165-172 ; John D. TURNER, « Sethian Gnosticism : A Literary History », in Charles W. HEDRICK et Robert HODGSON JR. (éd.), *Nag Hammadi, Gnosticism and Early Christianity*, Peabody, Massachusetts, Hendrickson, 1986, pp. 55-86 ; John D. TURNER, *Sethian Gnosticism and the Platonic Tradition*, Sainte Foy (Québec)-Louvain, Presses de l'Université Laval-Peeters, « Bibliothèque copte de Nag Hammadi », section « Études », n° 6, 2001 ; Michael A. WILLIAMS, « Sethianism », in Antti MARJANEN et Petri LUOMANEN (éd.), *A Companion to Second-Century « Heretics »*, Leyde, E. J. Brill, supplément de *Vigiliae Christianae* n° 76, 2005, pp. 32-63.

29. C'est Pierre qui confesse qui est Jésus dans les Évangiles synoptiques du Nouveau Testament : voir Matthieu (16, 13-20) ; Marc (8, 27-30) ; Luc (9, 18-21). Lorsque Jésus demande à ses disciples : « Au dire des hommes, qui est le Fils de l'Homme ? », Matthieu fait répondre « Élie » à certains disciples, « Jérémie ou un autre prophète » à d'autres, et Pierre, lui, dit : « Tu es le Christ, le Fils du Dieu vivant » ; Marc fait dire à Pierre : « Tu es le Christ » ; et dans Luc, Pierre répond : « Le Christ de Dieu. » Voir la profession des disciples dans l'Évangile de Judas (34), p. 30. Dans l'Évangile selon Thomas (13), Thomas énonce ceci au sujet de Jésus : « Jésus a dit à ses disciples : "Faites une comparaison, et dites-moi à qui je ressemble." Simon Pierre lui dit : "Tu es semblable à un ange juste." Matthieu lui dit : "Tu es semblable à un philosophe intelligent." Thomas lui dit : "Maître, ma bouche est tout à fait incapable de dire à qui tu es semblable." Jésus répondit : "Je ne suis pas ton maître ; puisque tu as bu, tu t'es enivré à la source bouillonnante que j'ai fait jaillir." Et il le prit à part, et lui dit trois paroles. Quand Thomas revint auprès de ses compagnons, ils lui demandèrent : "Que t'a dit Jésus ?" Thomas leur répondit : "Si je vous dis une seule des paroles qu'il m'a dites, vous prendrez des pierres et les lancerez contre moi ; et alors un feu sortira des pierres et vous brûlera". » (François BOVON et Pierre GEOLTRAIN [éd.], *Écrits apocryphes chrétiens I*, Paris, Gallimard, « Bibliothèque de la Pléiade », 1997, p. 36.)

30. Voir W. W. HARVEY (éd.), *Irenaeus, Libros quinque adversus haereses*, Cambridge, Academy, 1857, rééd. Ridgewood, New Jersey, Gregg Press, 1965, pp. 221-222

31. John D. TURNER, *Sethian Gnosticism and the Platonic Tradition*, Sainte Foy (Québec)-Louvain, Presses de l'Université Laval-Peeters, « Bibliothèque copte de Nag Hammadi », section « Études », n° 6, 2001, p. 85. La citation est légèrement modifiée, en accord avec l'auteur.

32. Pour les traductions anglaises des textes de Nag Hammadi, voir Marvin MEYER, *The Gnostic Gospels of Jesus. The Definitive Collection of Mystical Gospels and Secret Books about Jesus of Nazareth*, San Francisco, HarperSanFrancisco, 2005 ; Marvin MEYER (éd.), *The Nag Hammadi Scriptures. The International Edition*, San Francisco, HarperSanFrancisco [en préparation].

33. Paul écrit dans la Première Épître aux Corinthiens (2, 9) : « Mais, comme il est écrit, *c'est ce que l'œil n'a pas vu, ce que l'oreille n'a pas entendu, et ce qui n'est pas monté au cœur de l'homme, tout ce que Dieu a préparé pour ceux qui l'aiment.* » Dans l'Évangile selon Thomas (17) il est écrit : « Jésus a dit : "Je vous donnerai ce qu'aucun œil n'a vu et ce qu'aucune oreille n'a entendu et ce qu'aucune main n'a touché et ce qui n'est jamais monté au cœur de l'homme." » (François BOVON et Pierre GEOLTRAIN [éd.], *Écrits apocryphes chrétiens I*, Paris, Gallimard, « Bibliothèque de la Pléiade », 1997, p. 37.) Le passage de la Prière de l'apôtre Paul est cité dans la note 1, page 47 de la traduction. Voir aussi Michael E. STONE et John STRUGNELL, *The Books of Elijah. Parts 1-2*, Missoula, Montana, Scholars Press, « Society of Biblical Literature Texts and Translations », n° 18, « Pseudepigrapha », n° 8, 1979.

34. Allogène l'Étranger comporte un passage (Codex de Nag Hammadi, XI, 61-64) à mettre en parallèle avec cette section du Livre secret de Jean.

35. Dans la version courte du Livre secret de Jean, il est dit que Barbèlô regarde intensément le Père, va à lui, puis donne naissance à une étincelle de lumière. (Voir Berlin Gnostic Codex 8502, 29-30 ; Nag Hammadi Codex III, 9.)

36. Les noms et les rôles des Quatre Luminaires sont examinés dans le livre de John D. TURNER, *Sethian Gnosticism and the Platonic Tradition*, Sainte Foy (Québec)-Louvain, Presses

de l'Université Laval-Peeters, « Bibliothèque copte de Nag Hammadi », section « Études », n° 6, 2001.

37. Sur Eugnoste le Bienheureux et la Sagesse de Jésus-Christ, voir Douglas M. Parrott, *Nag Hammadi Codices III, 3-4 and V, 1 with Papyrus Berolinensis 8502, 3 and Oxyrhynchus Papyrus 1081. Eugnostos and the Sophia of Jesus Christ*, Leyde, E. J. Brill, « Nag Hammadi Studies », n° 27, « The Coptic Gnostic Library », 1991.

38. Codex III de Nag Hammadi, in *Eugnoste, Lettre sur le Dieu transcendant*, trad. d'Anne Pasquier, Québec-Louvain-Paris, Presses de l'Université de Laval-éditions Peeters, 2000, pp. 83-84.

39. *Ibid.*, pp. 88-89.

40. Sur la sagesse, y compris Sagesse personnifiée, dans la pensée ancienne et particulièrement la pensée séthienne, voir Marvin Meyer, *Gnostic Discoveries. The Impact of the Nag Hammadi Library*, San Francisco, HarperSanFrancisco, 2005, pp. 57-115.

41. Sophia tente d'imiter l'acte procréateur originel du Père. Le récit de Sophia donnant naissance d'elle-même semble refléter les anciennes théories gynécologiques sur les corps des femmes et la reproduction. De même, dans la mythologie grecque, la déesse Héra imite Zeus et enfante toute seule ; selon une autre version de cette histoire, l'enfant est le monstre Typhon (*Hymnes homériques à Apollon le Pythien* 300-362) ; selon une version encore différente, c'est la déité boiteuse Héphaïstos, que Héra chasse de l'Olympe et envoie dans le monde d'en bas (*Théogonie* d'Hésiode 924-929). Dans le Livre secret de Jean, tous les maux et les infortunes du monde viennent de la légèreté de Sophia.

42. Voici ce qu'expose la version de Nag Hammadi de la Lettre de Pierre à Philippe (135) : « Premier point : De la déficience des éons (= des vivants). Voici ce qu'est la déficience.

Quand donc la désobéissance et la déraison de la Mère se manifestèrent contre l'ordre établi par la grandeur du Père, elle voulut susciter des éons et, quand elle parla, apparut l'Authadès (= *Celui qui se complaît en soi, le présomptueux*). Puis, lorsqu'elle laissa une portion d'elle-même, l'Authadès s'en saisit, et cela devint une déficience. Telle est la déficience des éons. »

43. Le mot *déficience* est *šōōt* dans le texte copte de l'Évangile de Judas. Ce terme et des mots similaires font office de termes techniques, surtout dans les textes séthiens, pour désigner la perte de lumière divine due à la transgression de la Mère.

44. Le Livre secret de Jean (II, 19-20) contient le récit coloré suivant (cité ici plus longuement que dans les notes de la traduction), qui décrit le stratagème employé par le divin pour que Ialdabaôth, le créateur de ce monde, souffle la lumière divine et l'esprit divin dans l'humanité : « Lorsque la Mère voulut reprendre la puissance qu'elle avait abandonnée au premier gouverneur, elle pria le très miséricordieux Père-Mère de Tous. Par décision sainte, le Père-Mère envoya cinq luminaires chez les anges du premier gouverneur. Ils lui parlèrent de façon à pouvoir récupérer la puissance de la mère. Ils dirent à Ialdabaôth : « Insuffle un peu de ton esprit dans le visage d'Adam, et le corps se lèvera. » Il insuffla son esprit dans Adam. L'esprit est la puissance de sa mère, mais il ne s'en rend pas compte, car il vit dans l'ignorance. La puissance de la Mère sortit de Ialdabaôth et entra dans le corps psychique qui avait été rendu semblable à celui qui est depuis le commencement. Le corps bougea, et devint puissant. Et il fut illuminé. Aussitôt le reste des puissances devinrent jalouses. Bien qu'Adam fût venu à être à travers elles toutes, et qu'elles eussent donné leur puissance à cet humain, Adam était plus intelligent que les créateurs et le premier gouverneur. Lorsqu'ils se rendirent compte qu'Adam était illuminé, et qu'il pouvait

penser plus clairement qu'eux, et qu'il avait été dépouillé de toute méchanceté, ils se saisirent de lui et le jetèrent dans les régions inférieures de l'immense royaume matériel. »

45. Ici, dans l'Évangile de Philippe, on peut lire : « Il y a Echamoth et il y a Echmoth. Echamoth est simplement Sagesse, mais Echmoth est la Sagesse de mort – c'est-à-dire la Sagesse qui connaît la mort, qui est appelée petite Sagesse. » Ailleurs (voir la Première Apocalypse de Jacques, le Livre de Baruch, et les hérésiologues), la basse Sagesse est nommée Achamoth, et elle peut être considérée comme la fille de la haute Sagesse, Sophia. Les noms Echamoth et Achamoth viennent tous deux du mot hébreu *Hokhmah* signifiant « sagesse » ; Echmoth signifie « semblable à la mort » en hébreu et en araméen (*'ech-moth*). Voir Bentley LAYTON, Bentley LAYTON, *The Gnostic Scriptures. A New Translation with Annotations and Introductions*, Garden City, New York, Doubleday, 1987, p. 336.

46. Ici, dans le Livre sacré du Grand Esprit invisible, on lit : « Une nuée [nommée] Sophia de matière apparut. » Ce passage est cité plus longuement dans les notes de la traduction.

47. D'autres textes, comme le Livre secret de Jean, L'Hypostase des Archontes, et Sur l'origine du monde, se réfèrent aussi au créateur de ce monde comme étant Samael, nom qui signifie « dieu aveugle » en araméen.

48. Sur Nebrô, Nimrod en hébreu, et le Nebrod grec de la Septante, se reporter aux notes de la traduction.

49. Sur ces descriptions, se reporter aux passages cités dans les notes de la traduction.

50. Le nom Adônaios vient de l'hébreu *Adonai*, « mon Seigneur », augmenté de la terminaison grecque -*os*. La figure d'Adônaios occupe un rôle significatif dans la littérature gnostique. Voir le Livre secret de Jean ; Sur l'origine du monde ; le

Livre sacré du Grand Esprit Invisible ; le Deuxième Traité du Grand Seth ; le Livre de Baruch.

51. Sur le rôle de Seth dans les textes séthiens et autres, voir Birger A. PEARSON, « The Figure of Seth in Gnostic Literature », in Bentley LAYTON, *Rediscovery of Gnosticism*, t. II, pp. 471-504 ; Birger A. PEARSON, *Gnosticism and Christianity in Roman and Coptic Egypt*, New York, Clark International, « Studies in Antiquity and Christianity », 2004, pp. 268-282 ; Birger A. PEARSON, *Gnosticism, Judaism and Egyptian Christianity*, Minneapolis, Fortress, « Studies in Antiquity and Christianity », 1990, pp. 52-83 ; Gedaliahu A. G. STROUMSA, *Another Seed. Studies in Gnostic Mythology*, Leyde, E. J. Brill, 1984 ; John D. TURNER, *Sethian Gnosticism and the Platonic Tradition*, Sainte Foy (Québec)-Louvain, Presses de l'Université Laval-Peeters, « Bibliothèque copte de Nag Hammadi », section « Études », n° 6, 2001.

52. Ici, dans le Livre secret de Jean (II, 9), se lit : « De la Prescience de l'esprit parfait, par la volonté exprimée de l'Esprit invisible et par la volonté de l'Auto-Engendré, vinrent l'humain parfait, la première révélation, la vérité. L'Esprit virginal nomma l'humain Pigeradamas, et il l'installa dans le premier éon éternel auprès du grand Auto-Engendré, le consacré, près du premier luminaire, Harmozel. Sa puissance réside en lui. L'invisible donna à Pigeradamas une invincible puissance intellectuelle. Pigeradamas parla, il glorifia et loua l'Esprit Invisible en disant : "Grâce à toi, tout est venu à être, et à toi tout reviendra. Je vous louerai et vous glorifierai, toi, l'Auto-Engendré, les éons éternels, les Trois, Père, Mère, Enfant, la puissance parfaite." Pigeradamas installa son fils Seth dans le deuxième éon éternel, devant le deuxième luminaire, Oroiael. Dans le troisième éon éternel fut placée la progéniture de Seth, en compagnie du troisième luminaire, Daveithai. Les âmes des saints y étaient placées. Dans le quatrième éon éternel furent placées les âmes de ceux qui étaient

dans l'ignorance de la Plénitude. Elles ne se repentirent pas immédiatement, ils attendirent un moment et se repentirent plus tard. Elles vinrent à être auprès du quatrième luminaire, Eleleth. Telles sont les créatures qui glorifient l'Esprit invisible. »

53. Sur les étymologies possibles de Pigeradamas ou Geradamas, voir Marvin MEYER, *The Gnostic Gospels of Jesus. The Definitive Collection of Mystical Gospels and Secret Books about Jesus of Nazareth*, San Francisco, HarperSanFrancisco, 2005, pp. 312-313.

54. Hans-Martin SCHENKE, *Der Gott « Mensch » in der Gnosis. Eine religionsgeschichtliche Beitrag zur Diskussion über die paulinische Anschauung von der Kirche als Leib Christi*, Göttingen, Vandenhoeck und Ruprecht, 1962.

55. Sur l'expression « image pour [image] », voir l'Évangile selon Thomas (22) : « Jésus leur répondit : "Lorsque vous ferez des deux un, et que vous ferez l'intérieur comme l'extérieur, et l'extérieur comme l'intérieur, et le haut comme le bas, et que vous ferez du mâle et de la femelle un seul et même être, de façon à ce que le mâle ne soit plus mâle et que la femelle ne soit plus femelle ; lorsque vous ferez des yeux au lieu d'un œil, une main au lieu d'une main, un pied au lieu d'un pied, une image au lieu d'une image, c'est alors que vous entrerez dans le Royaume." » (François BOVON et Pierre GEOLTRAIN [éd.], *Écrits apocryphes chrétiens I*, Paris, Gallimard, « Bibliothèque de la Pléiade », 1997, pp. 38-39.)

56. Platon, *Timée. Critias*, trad. Luc Brisson, Paris, GF-Flammarion, 1992, pp. 134-135.

57. Sur les textes séthiens platonisants, voir John D. TURNER, *Sethian Gnosticism and the Platonic Tradition*, Sainte Foy (Québec)-Louvain, Presses de l'Université Laval-Peeters, « Bibliothèque copte de Nag Hammadi », section « Études », n° 6, 2001.

BIBLIOGRAPHIE SÉLECTIVE

BARC, Bernard (éd.), *L'Hypostase des Archontes. Traité gnostique sur l'origine de l'homme, du monde, des Archontes* (NH II, 4), suivi de *Noréa* (NH IX, 2) par Michel ROBERGE, Louvain, Éditions Peeters, « Bibliothèque copte de Nag Hammadi », section « Textes », n° 5, 1980.

BARNSTONE, Willis et MEYER, Marvin (éd.), *The Gnostic Bible*, Boston, Shambhala, 2003.

BAUER, Walter, *Orthodoxy and Heresy in Earliest Christianity*, Philadelphie, Westminster, 1971.

BETHGE, Hans-Gebhard, EMMEL, Stephen, KING, Karen L. et SCHLETTERER, Imke (éd.), *For the Children, Perfect Instruction. Studies in Honor of Hans-Martin Schenke on the Occasion of the Berliner Arbeitskreis für koptisch-gnostische Schriften's Thirtieth Year*, Leyde, E. J. Brill, « Nag Hammadi and Manichaean Studies », n° 54, 2002.

BOVON, François et GEOLTRAIN, Pierre (éd.), *Écrits apocryphes chrétiens I*, Paris, Gallimard, « Bibliothèque de la Pléiade », 1997.

BROWN, Raymond, *La Mort du Messie*, Paris, Bayard, 2005.

BROX, Norbert, *Offenbarung, Gnosis und gnostischer Mythos bei Irenäus von Lyon*, Salzbourg, Pustet, « Salzburger patristische Studien », n° 1, 1966.

CRUM, Walter E., *A Coptic Dictionary*, Oxford, Clarendon Press, 1939.

CULIANU, Ioan, *The Tree of Gnosis. Gnostic Mythology from Early Christianity to Modern Nihilism*, San Francisco, HarperSanFrancisco, 1992.

DORESSE, Jean, *Les Livres secrets des gnostiques d'Égypte. Introduction aux écrits gnostiques coptes découverts à Khénoboskion*, Monaco, Éditions du Rocher, 1984.

EHRMAN, Bart D., *After the New Testament. A Reader in Early Christianity*, New York, Oxford University Press, 1998.

–, *Jesus. Apocalyptic Prophet of the New Millennium*, New York, Oxford University Press, 1999.

–, *Lost Christianities. The Battles for Scripture and the Faiths We Never Knew*, New York, Oxford University Press, 2003.

–, *Lost Scriptures. Books That Did Not Make It into the New Testament*, New York, Oxford University Press, 2003.

FOERSTER, Werner (éd.), *Gnosis. A Selection of Texts*, Oxford, Clarendon Press, 1972-1974, 2 vol.

JONAS, Hans, *La Religion gnostique. Le message du dieu étranger et les débuts du christianisme*, Paris, Flammarion, 1978.

KASSER, Rodolphe, *Compléments au dictionnaire copte de Crum*, Le Caire, Institut français d'archéologie orientale, « Bibliothèque des études coptes », n° 7, 1964.

–, *L'Évangile selon Thomas. Présentation et commentaire théologique*, Neuchâtel, Delachaux & Niestlé, 1961.

–, *Papyrus Bodmer VI. Livre des Proverbes*, Louvain, Corpus Scriptorum Christianorum Orientalium, « Scriptores Coptici », n°ˢ 27-28, 1960.

KASSER, Rodolphe, en collab. avec Colin AUSTIN, *Papyrus Bodmer XXV-XXVI. Ménandre, La Samienne, Le Bouclier*, Cologne, Genève, Bibliotheca Bodmeriana, 1969.

KASSER, Rodolphe, en collab. avec Sébastien FAVRE, Denis WEIDMANN *et al.*, *Kellia. Topographie*, Genève, Géorg, « Recherches suisses d'archéologie copte », n°2, 1972.

KASSER, Rodolphe, MALININE, Michel, PUECH, Henri-Charles, QUISPEL, Gilles et ZANDEE, Jan (éd.), *Tractatus Tripartitus. Pars I, Pars II, Pars III*, Berne, Francke, 1973-1975, 2 vol.

KASSER, Rodolphe, en collab. avec Victor MARTIN, *Papyrus Bodmer XIV-XV. Évangile de Luc, chap. 3-24, Évangile de Jean, chap. 1-15*, Cologne, Suisse, Bibliotheca Bodmeriana, 1961.

KING, Karen L., *The Gospel of Mary of Magdala. Jesus and the First Woman Apostle*, Santa Rosa, Californie, Polebridge Press, 2003.

–, *What Is Gnosticism ?*, Cambridge, Massachusetts, Belknap-Harvard University Press, 2003.

KLASSEN, William, *Judas. Betrayer or Friend of Jesus ?*, Minneapolis, Fortress, 1996.

KLAUCK, Hans-Josef, *Judas. Ein Jünger des Herrn*, Fribourg, Herder, « Quaestiones Disputatae », n° 111, 1987.

KLIJN, A. F. J., *Seth in Jewish, Christian, and Gnostic Literature*, Leyde, E. J. Brill, 1977.

KRAUSE, Martin et LABIB, Pahor (éd.), *Die drei Versionen des Apokryphon des Johannes in Koptischen Museum zu Alt-Kairo*, Wiesbaden, Harrassowitz, « Abhandlungen des Deutschen Archäologischen Instituts Kairo, Koptische Reihe », 1962.

–, *Gnostische und hermetische Schriften aus Codex II und VI*, Glückstadt, J.J. Augustin, « Abhandlungen des Deutschen Archäologischen Instituts Kairo, Koptische Reihe », 1971.

LAYTON, Bentley, *A Coptic Grammar with Chrestomathy and Glossary. Sahidic Dialect*, Wiesbaden, Harrassowitz, « Porta Linguarum Orientalium », Neue Serie n° 20, 2000.

–, *The Gnostic Scriptures. A New Translation with Annotations and Introductions*, Garden City, New York, Doubleday, 1987.

MACCOBY, Hyam, *Judas Iscariot and the Myth of Jewish Evil*, New York, Free Press, 1992.

MAHÉ, Jean-Pierre et POIRIER, Paul-Hubert (éd.), *Écrits gnostiques*, Paris, Gallimard, « Bibliothèque de la Pléiade », [en préparation].

MARKSCHIES, Christoph, *Gnosis. An Introduction*, Londres, T. & T. Clark, 2003.

MEYER, Marvin, *The Gnostic Discoveries. The Impact of the Nag Hammadi Library*, San Francisco, HarperSanFrancisco, 2005.

–, *The Gnostic Gospels of Jesus. The Definitive Collection of Mystical Gospels and Secret Books about Jesus of Nazareth*, San Francisco, HarperSanFrancisco, 2005.

–, *The Gospel of Thomas. The Hidden Saying of Jesus*, San Francisco, HarperSanFrancisco, 1992.

MEYER, Marvin (éd.), *The Nag Hammadi Scriptures. The International Edition*, San Francisco, HarperSanFrancisco [en préparation].

PAFFENROTH, Kim, *Judas. Images of the Lost Disciple*, Louisville, Kentucky, Westminster John Knox Press, 2001.

PAGELS, Elaine H., *Beyond Belief. The Secret Gospel of Thomas*, New York, Random House, 2003.

–, *Les Évangiles secrets*, Paris, Gallimard, 1982.

PEARSON, Birger A., *Gnosticism and Christianity in Roman and Coptic Egypt*, New York, T. & T. Clark International, « Studies in Antiquity and Christianity », 2004.

–, *Gnosticism, Judaism, and Egyptian Christianity*, Minneapolis, Fortress, « Studies in Antiquity and Christianity », 1990.

PUECH, Henri-Charles (éd.), *Histoire des religions*, II. *La Formation des religions universelles et des religions de salut dans le monde méditerranéen et le Proche-Orient, les religions constituées en Occident et leurs contre-courants*, Paris, Gallimard, « Encyclopédie de la Pléiade », 1983.

ROBINSON, James M. (éd.), *The Nag Hammadi Library in English*, San Francisco, HarperSanFrancisco, 3ᵉ éd., 1988.

RUDOLPH, Kurt, *Gnosis. The Nature and History of Gnosticism*, trad. anglaise et éd. Robert MCLACHLAN WILSON, San Francisco, HarperSanFrancisco, 1987.

SCHENKE, Hans-Martin, BETHGE, Hans-Gebhard et ULRIKE KAISER, Ursula (éd.), *Nag Hammadi Deutsch*, Berlin, Walter de Gruyter, « Die Griechischen Christlichen Schriftsteller der ersten Jahrhunderte », Neue Folge nᵒˢ 8 et 12, 2001-2003, 2 vol.

SCHENKE, Hans-Martin et KASSER, Rodolphe (éd.), *Papyrus Michigan 3520 und 6868 (a). Ecclesiastes, erster Johannesbrief und zweiter Petrusbrief im Fayumischen Dialekt*, Berlin, Walter de Gruyter, 2003.

SCHNEEMELCHER, Wilhelm (éd.), *New Testament Apocrypha*, trad. anglaise éd. Robert MCLACHLAN WILSON, éd. rév., Cambridge-Louisville, Kentucky, James Clarke-Westminster/ John Knox Press, 1991-1992, 2 vol.

SCHOLER, David M., *Nag Hammadi Bibliography. 1948-1969*, Leyde, E. J. Brill, « Nag Hammadi Studies », nᵒ 1, 1971.

–, *Nag Hammadi Bibliography. 1970-1994*, Leyde, E. J. Brill, « Nag Hammadi Studies », nᵒ 32, 1997.

SEVRIN, Jean-Marie, *Le Dossier baptismal séthien. Études sur la sacramentaire gnostique*, Sainte Foy, Québec, Presses de l'Université Laval, « Bibliothèque copte de Nag Hammadi », section « Études », nᵒ 2, 1986.

STROUMSA, Gedaliahu A. G., *Another Seed. Studies in Gnostic Mythology*, Leyde, E. J. Brill, 1984.

TURNER, John D., *Sethian Gnosticism and the Platonic Tradition*, Sainte Foy (Québec)-Louvain, Presses de l'Université Laval-Peeters, « Bibliothèque copte de Nag Hammadi », section « Études », n°6, 2001.

UNGER, Dominic J. (éd.), *St Irenaeus of Lyons. Against the Heresies. Book 1*, New York, Paulist Press, « Ancient Christian Writers », n°55, 1992.

VAN OORT, Johannes, WERMELINGER, Otto et WURST, Gregor, *Augustine and Manichaeism in the Latin West. Proceedings of the Fribourg-Utrecht International Symposium of the International Association of Manichaean Studies*, Leyde, E. J. Brill, 2001.

WILLIAMS, Michael A., *Rethinking « Gnosticism ». An Argument for Dismantling a Dubious Category*, Princeton, New Jersey, Princeton University Press, 1996.

WURST, Gregor, *Das Bemafest der ägyptischen Manichäer*, Altenberge, Oros, « Arbeiten zum spätantiken und koptischen Ägypten », n° 8, 1995.

–, *The Manichaean Coptic Papyri in the Chester Beatty Library. Psalm Book. Part II, Fasc.1. Die Bema-Psalmen*, Turnhout, Brepols, « Corpus Fontium Manichaeorum. Series Coptica 1 », 1996.

NOTE DE LA NATIONAL
GEOGRAPHIC SOCIETY

Lorsque Frieda Tchacos Nussberger, marchande d'art à Zurich, fit en 2000 l'acquisition du codex ancien qui contenait l'Évangile de Judas, celui-ci était à vendre depuis près d'une vingtaine d'années, et il avait été transporté de l'Égypte aux États-Unis, en passant par l'Europe. Rodolphe Kasser, un professeur suisse de l'université de Genève réputé pour sa connaissance des textes coptes, déclara n'en avoir jamais vu un en si piteux état. « Le manuscrit était si fragile qu'il était susceptible de s'effriter au plus léger contact. » Alarmée par la détérioration du manuscrit, Frieda Tchacos le confia à la Fondation Maecenas pour l'art ancien, qui s'employa à trouver les moyens de le sauver, de le préserver et de le publier, avec pour objectif final d'en faire don au Musée copte du Caire. Il était naturel que ce projet du Codex Tchacos, mêlant archéologie, procédés scientifiques de pointe et remarquables intérêts culturels, éveille l'intérêt de la National Geographic Society. Celle-ci s'assura le soutien du Waitt Institute for Historical Discovery, fondation créée par Ted Waitt (fondateur de Gateway Computer, entreprise de construction d'ordinateurs) dans le but d'appuyer des projets susceptibles d'améliorer les connaissances de l'humanité par l'exploration historique et scientifique. La National Geographic Society et le Waitt Institute allaient œuvrer de concert avec la Fondation Maecenas pour faire authentifier le document, poursuivre le processus de restauration initié sur les conseils de Kasser, et entreprendre la traduction du contenu du codex. Mais pour cela, il fallait d'abord que la conservatrice Florence Darbre, assistée des coptologues Kasser et Gregor Wurst, ressuscite le texte qui se trouvait en lambeaux.

Quelqu'un avait bouleversé l'ordre des feuillets, et le haut du papyrus (comportant leur numérotation) s'était détaché. Mais le plus grand défi était celui-ci : près d'un millier de fragments se trouvaient éparpillés comme des miettes. Darbre manipula les fragiles morceaux avec des pinces brucelles et les disposa entre des plaques de verre. Avec l'aide d'un ordinateur, Darbre, Kasser et Wurst parvinrent, en cinq années de labeur exténuant, à reconstituer plus de 75 % du texte. Puis Kasser, Wurst et Marvin Meyer, avec la collaboration de François Gaudard, traduisirent les vingt-six pages de l'Évangile de Judas, un document où étaient exposées en détail des croyances gnostiques depuis longtemps cachées. Des spécialistes du christianisme primitif y voient la plus extraordinaire découverte textuelle qui ait été effectuée depuis des décennies. Comme le dit Kasser : « Ce manuscrit est revenu au jour par miracle. »

Afin d'être certaine de l'ancienneté et de l'authenticité du Codex Tchacos, la National Geographic Society voulut le faire expertiser avec la plus grande attention possible sans que le manuscrit eût à en souffrir. Pour cela, il fallait soumettre de minuscules échantillons du papyrus à des tests de datation par le radiocarbone en employant les techniques les plus rigoureuses et les plus avancées, et consulter d'autres coptologues éminents, qui fussent également spécialistes en paléographie et en codicologie.

En décembre 2004, des représentants de la National Geographic Society se rendirent à Tucson, dans l'université d'Arizona, où ils remirent en mains propres cinq minuscules échantillons aux responsables du laboratoire de l'AMS (Accelerated Mass Spectrometry), où la technique dite de « spectrométrie de masse accélérée » avait fait ses preuves en matière de datation par le radiocarbone.

Quatre des échantillons étaient des fragments de feuillets du codex, tandis que le cinquième était une petite section de la reliure de cuir, à laquelle adhéraient des morceaux de papyrus. Aucune portion du texte n'a été endommagée durant les opérations.

Au début du mois de janvier 2005, les spécialistes du laboratoire de l'AMS ont achevé leurs tests de datation par le radiocarbone. Si certains échantillons isolés indiquaient des périodes diverses, la date calendaire pour l'ensemble du codex était à situer entre 220 et 340, avec une marge d'erreur d'approximativement soixante ans.

Selon Tim Jull, directeur du laboratoire de l'AMS, et le chercheur Greg Hodgins, « l'ancienneté du papyrus et celle des échantillons de cuir sont étroitement comparables, ce qui autorise à dater le codex du IIIe ou IVe siècle après J.-C. »

Depuis son invention à la fin des années quarante, le procédé de datation par le radiocarbone est le *nec plus ultra* en ce qui concerne la datation d'objets anciens, et cela dans des champs allant de l'archéologie à la paléoclimatologie. Le développement de la technique de spectrométrie de masse accélérée permet aux chercheurs d'échantillonner de nombreux et minuscules fragments d'un objet donné, ainsi qu'il fut fait dans le cas du Codex Tchacos.

Le laboratoire de l'AMS de l'université d'Arizona est réputé dans le monde entier pour la qualité de son expertise ; on peut mettre par exemple à son crédit la datation très précise des manuscrits de la mer Morte, qui a permis aux chercheurs de situer avec exactitude ces manuscrits dans leur contexte historique.

Le contenu et le style linguistique du Codex Tchacos constituent une autre preuve de son authenticité, selon les spécialistes éminents qui l'ont étudié. Ces experts sont Rodolphe Kasser, titulaire honoraire de la chaire de coptologie de l'université de Genève, et traducteur d'ouvrages de la bibliothèque de Nag Hammadi, Marvin Meyer de l'université Chapman à Orange en Californie, et Gregor Wurst, qui enseigne l'histoire ecclésiastique et la patristique à l'université d'Augsbourg, en Allemagne. Tous trois ont eu un rôle déterminant dans la traduction du Codex Tchacos.

Selon eux, les concepts théologiques présents dans le texte du codex, ainsi que sa structure linguistique, sont très similaires aux concepts trouvés dans les ouvrages de la bibliothèque de Nag Hammadi, une collection constituée pour l'essentiel de textes gnostiques découverts en Égypte durant la seconde moitié des années quarante, datant eux aussi des premiers siècles du christianisme.

Comme l'a déclaré le professeur Meyer : « Ce texte correspond fort bien aux idées que nous avons du IIe siècle de l'ère commune. Même dans sa forme fragmentaire, il est d'un très grand intérêt – il s'insère à merveille dans le IIe siècle, et mieux encore dans la moitié de ce IIe siècle. »

Stephen Emmel, professeur d'études coptes à l'université de Münster, en Allemagne, s'accorde avec Meyer pour dire que le contenu du Codex Tchacos reflète l'extrême singularité de la vision du monde qui prévalait durant le IIᵉ siècle, celle des gnostiques. D'après lui, « pour fabriquer semblable document, il faudrait être à même de refléter un monde totalement étranger à celui que nous connaissons aujourd'hui. Un monde vieux d'une quinzaine de siècles… Les spécialistes, qui consacrent leur vie à étudier ce monde, ont déjà bien des difficultés pour le comprendre, alors ne parlons pas de créer de toutes pièces un tel document ! Il faudrait être un vrai génie pour produire pareil objet, ce que, pour ma part, je ne crois pas possible. »

Emmel a ainsi conclu : « Je ne doute pas que ce codex soit un objet authentique de l'Antiquité égyptienne tardive, et qu'il contienne d'authentiques œuvres appartenant à l'ancienne littérature apocryphe chrétienne. »

Outre ce reflet d'une vision du monde propre aux gnostiques, la paléographie, science des écritures anciennes, apporte d'autres preuves de l'authenticité du Codex Tchacos. Emmel, approuvé par Kasser et Wurst – tous les trois experts en paléographie copte – l'affirme : « Il a été écrit avec soin, par quelqu'un qui était un scribe professionnel. Les caractéristiques de cette écriture rappellent beaucoup les codex de Nag Hammadi. Non que ce soit la même écriture. Mais une écriture similaire. »

« Savoir qui à l'époque moderne pourrait fabriquer un objet semblable est, pour nous, une non-question – plus exactement hors de question. Pour cela, il faudrait disposer non seulement du matériau authentique, le papyrus, mais pas n'importe le(quel), non, ce papyrus devrait être ancien. Il faudrait aussi savoir imiter l'écriture copte d'une période très reculée. Dans le monde entier, le nombre de spécialistes du copte qui seraient en mesure de le faire est très restreint. Il faudrait aussi composer un texte en copte qui soit grammaticalement correct et convaincant. Le nombre de ceux susceptibles d'y parvenir est plus restreint encore que le nombre de ceux qui lisent le copte. »

Afin d'établir plus sûrement encore l'authenticité du codex, des échantillons de l'encre ont été envoyés à McCrone and Associates – un cabinet d'experts médico-légaux bien connu pour la fiabilité de ses analyses. Leurs résultats ont confirmé une nouvelle fois l'authenticité du document.

La TEM (Transmission Electron Microscopy, « microscopie électronique à transmission ») a confirmé qu'un liant à base de gomme, comme celui se trouvant dans certaines encres métallo-galliques, avait été utilisé pour la confection de la reliure, et que du noir de carbone constituait le composant principal de l'encre du Codex Tchacos – ce qui correspond aux encres qu'on employait durant les IIIe et IVe siècles.

Usant d'une technique appelée « spectroscopie Raman », McCrone and Associates ont pu en outre établir que l'encre contenait un composant métallo-gallique qui se retrouve dans les encres ferro-galliques utilisées au IIIe siècle.

LES AUTEURS

Bart D. Ehrman, spécialiste du christianisme primitif, est directeur du département d'études religieuses et titulaire de la chaire James A. Gray de l'université de Caroline du Nord, à Chapel Hill.

François Gaudard, égyptologue et chercheur à l'Institut oriental de l'université de Chicago, est expert en copte et en démotique.

Rodolphe Kasser est l'un des plus grands spécialistes mondiaux de langues, dialectes et littérature coptes. Professeur émérite à la faculté des lettres de l'université de Genève, il a publié maints travaux dans le domaine des études coptes et dirigé l'édition de plusieurs codex grecs et coptes.

Marvin Meyer, professeur d'études bibliques et chrétiennes, titulaire de la chaire Griset, dirige l'institut A. Schweitzer de l'université Chapman d'Orange, en Californie. Il est l'un des spécialistes les plus renommés du gnosticisme et de la bibliothèque de Nag Hammadi.

Gregor Wurst, spécialiste du copte ancien, est professeur d'histoire ecclésiastique et de patristique à l'université d'Augsbourg, en Allemagne.

CET OUVRAGE
A ÉTÉ TRANSCODÉ
ET ACHEVÉ D'IMPRIMER
SUR ROTO-PAGE
PAR L'IMPRIMERIE FLOCH
À MAYENNE EN JUILLET 2006

N° d'éd. L.01EHBNFU0580A003. N° d'impr. 66184.
D.L. juin 2006.
(Imprimé en France)